なぜなにはかせの

理科クイズ

2 昆虫のふしぎ

もくじ

なぜなにはかせの自己紹介 …… 4

問題 1 モンシロチョウの足は、何本？ …… 5

2 アブラムシを食べてくれる虫は、どれ？ …… 7

3 カブトムシの角は、何に使う？ …… 9

4 オオカマキリの卵は、どれ？ …… 11

5 オニヤンマの目は、いくつ？ …… 13

6 アゲハの幼虫の角は、何のため？ …… 15

7 モンシロチョウの口は、どれ？ …… 17

8 スズムシはどうやって鳴いている？ …… 19

9 カブトムシのメスは、どれ？ …… 21

10 昆虫じゃない虫は、どれ？ …… 23

11 テントウムシの幼虫にあって成虫にないものは？ …… 25

12 クワガタムシの羽は、何枚？ …… 27

13 カブトムシの幼虫は、どこにいる？ …… 29

14 ナミテントウの模様で、ないのはどれ？ …… 31

15 モンシロチョウが卵を産む場所は、どこ？ …… 33

16 カマキリのこのポーズは、何？ …… 35

17 テントウムシを、冬眠させるには？ …… 37

たくさんいるよ！テントウムシの仲間たち …… 39

18 秋に鳴く虫は、どれ？ …… 40

19 アリをねらう敵は、どれ？ …… 44

助け合って生きる昆虫たち …… 48

20 トノサマバッタは、どこに卵を産む？ …… 49

21 アメンボが水にうくのは、なぜ？ …… 51

22 カブトムシのさなぎは、どんな姿？ …… 53

23 ギンヤンマはどこに卵を産む？ …… 55

24 オオクワガタは、何を食べる？ …… 57

25 ギンヤンマの幼虫は、どれ？ …… 59

26 ナミテントウの幼虫、好物は何？ …… 61

27 アメンボの食べ物は、どれ？ …… 63

28 さなぎにならない昆虫は、どれ？ …… 65

29 モンシロチョウ、このポーズは何？ …… 67

30 キリギリスの耳は、どこにある？ …… 69

31 鳥がテントウムシを食べないのは、なぜ？ …… 71

32 ゲンゴロウのおしりのあわは、何のため？ …… 73

33 ミツバチが後ろ足につけてるものは、何？ …… 75

34 サムライアリがさなぎを運ぶのは、なぜ？ …… 77

35 トノサマバッタが食べるのは、どれ？ …… 79

36 ギンヤンマが飛ぶときの足は、どれ？ …… 81

37 アブラゼミが成虫になるまでにかかる時間は？ …… 83

38 アゲハの幼虫は、何を食べる？ …… 85

39 毒針を持っているのはミツバチのオス？メス？ …… 87

昆虫の身の守り方いろいろ …… 89

40 カブトムシの正しい成長順は？ …… 90

さくいん …… 94

わたしの名前は、なぜなにはかせ。
みんな、理科は好きかい？
大好きな人も、そうじゃない人も、
クイズで理科を楽しんじゃおう！
この本では、
みぢかな昆虫のクイズを出すよ。
さて、何問正解できるかな～？
アキト
ナツミ
なぜなにはかせ
フユキ
ハルカ

問題 1　モンシロチョウの足は、何本？

春になると、キャベツ畑（ばたけ）や菜（な）の花畑（はなばたけ）に、ヒラヒラと飛（と）びまわるモンシロチョウが見られるね。
さて、このモンシロチョウ、足は何本かな？

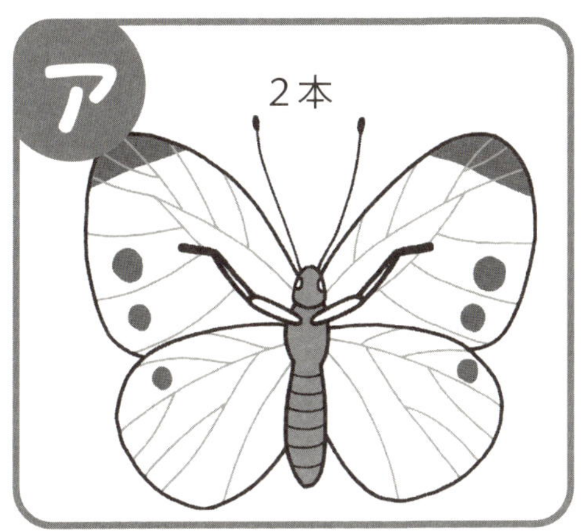

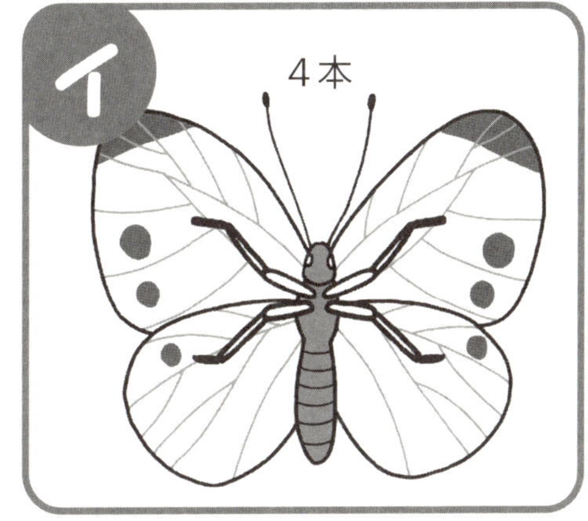

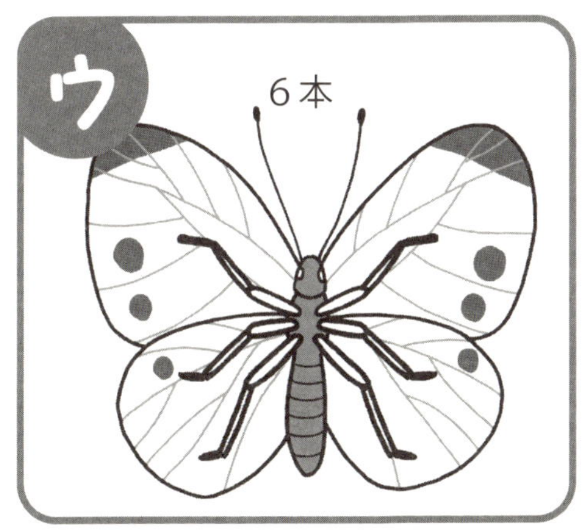

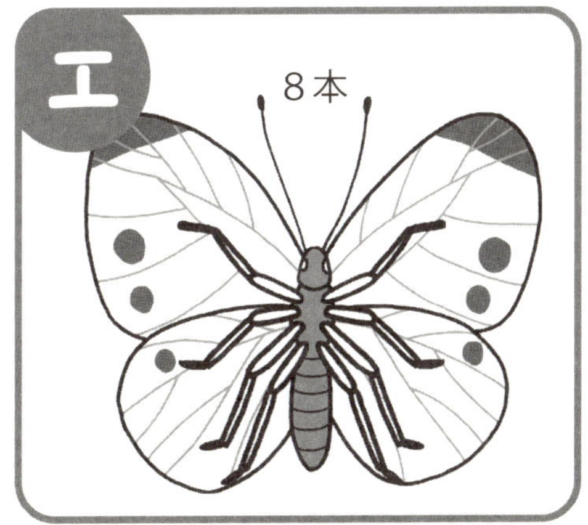

答え1 正解はウ

モンシロチョウは「昆虫（こんちゅう）」だね。
体が頭・胸（むね）・腹（はら）からできていて、胸に6本の足がある生き物（もの）が「昆虫」だよ。
バッタやトンボ、テントウムシなど、モンシロチョウと形は全然違う（ぜんぜんちが）けれど、同じ昆虫なんだ。

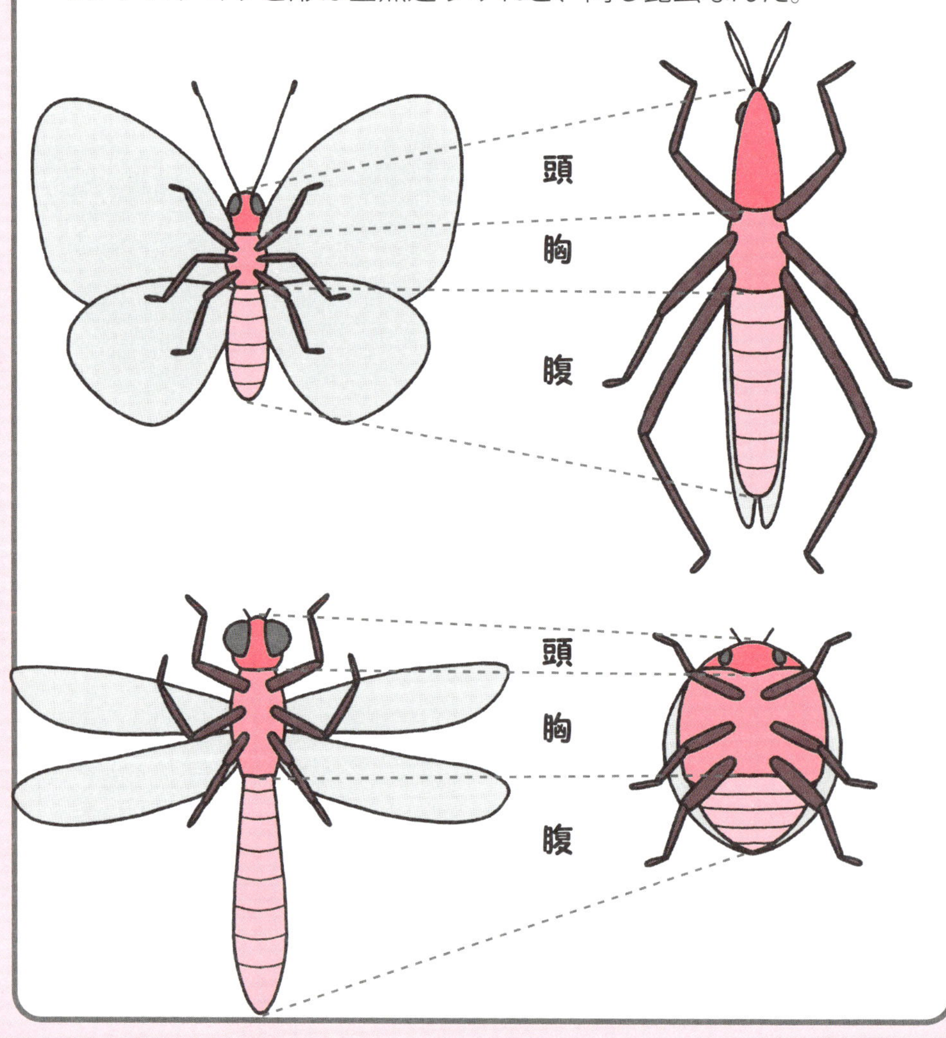

問題2 アブラムシを食べてくれる虫は、どれ？

大切に育(そだ)ててきたバラにアブラムシがいっぱいついてしまった。
次(つぎ)のうち、アブラムシを食べてくれる虫は、どれかな？

答え 2

正解は ウ

アブラムシは、春に芽生えたやわらかい葉やくき、つぼみなどに集まって植物の養分を吸いとってしまう「害虫」なんだ。ナナホシテントウはアブラムシを食べてくれる「益虫」だよ。

人間の役に立つ 益虫たち

ミツバチ

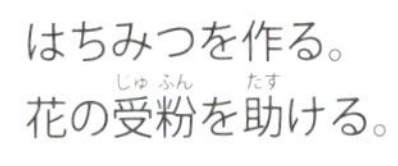

はちみつを作る。
花の受粉を助ける。

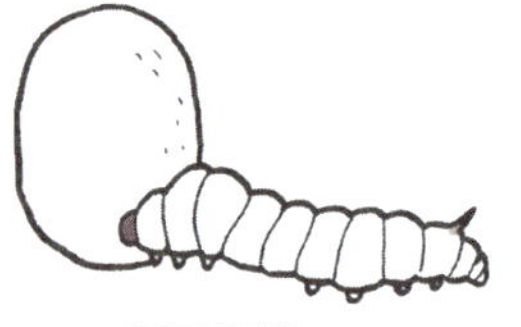

カイコ

まゆから生糸を取る。

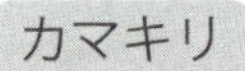

カマキリ

畑に害をおよぼす虫を食べる。
（益虫を食べてしまうことも。）

メモ

ふつう「テントウムシ」と呼ばれるのは、テントウムシ科の虫全ぱんのことをさす。けれどもナミテントウの正式な名前も「テントウムシ」なんだ。
「テントウムシ」と呼ばれる虫のグループに、テントウムシ（ナミテントウ）とナナホシテントウなどの虫がいる、ということになる。
少しややこしいね。

- テントウムシ（ナミテントウ）
- ナナホシテントウ
- ダンダラテントウ
- アカホシテントウ

など…

問題3 カブトムシの角は、何に使う？

カブトムシの大きくて立派な角は、何に使うのかな？
下の中から１つ選ぼう。

ア 木をたたいて音を出すんだよ。

イ けんかに使うんじゃないかな。

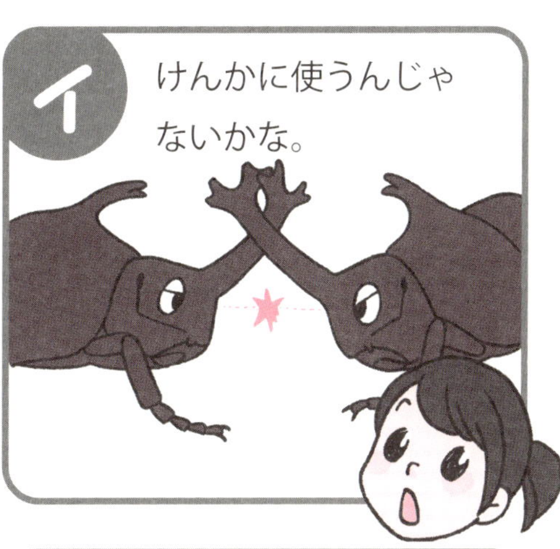

ウ おいしい樹液を探すのに使っているんだよ。

エ たんなるかざりだよ。

答え3　正解は イ

カブトムシの角は、オスどうしのけんかに使われるんだ。ときにはクワガタムシともけんかするよ。

おいしい樹液の出る場所は、そう広くない。集まってきた昆虫たちは、よりよい場所を取ろうと争うんだね。また、メスのカブトムシをめぐってけんかすることもあるよ。

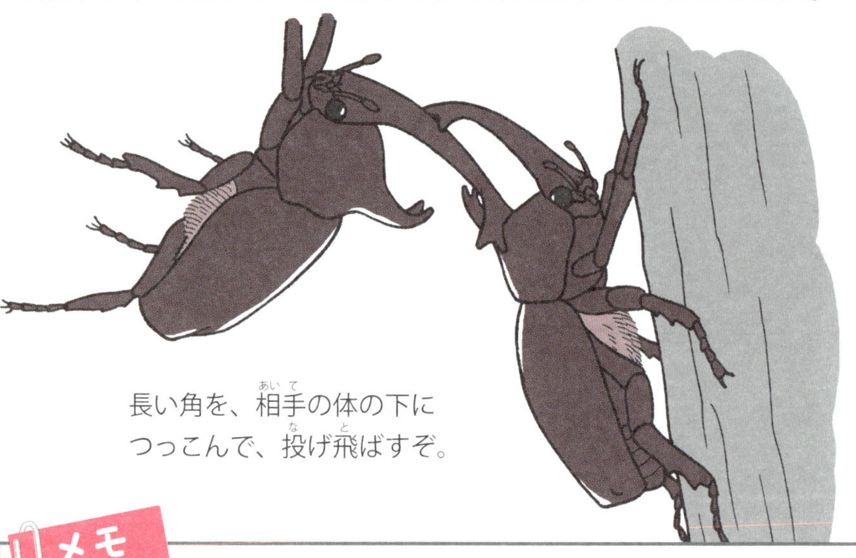

長い角を、相手の体の下に
つっこんで、投げ飛ばすぞ。

メモ

カブトムシは、かたい体を持つ「こう虫」というグループの中では日本一大きく、日本一の力持ち。自分の体重のおよそ１０～２０倍の重さの物を引っぱることができるといわれているよ。すごいね。

問題4 オオカマキリの卵は、どれ？

草むらで、卵を産んでいる最中のオオカマキリを見つけたよ。
さて、次のア〜エのうち、オオカマキリの卵はどれかな？

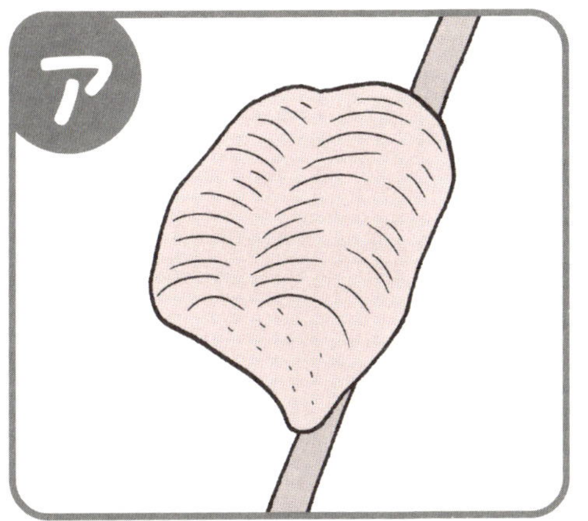

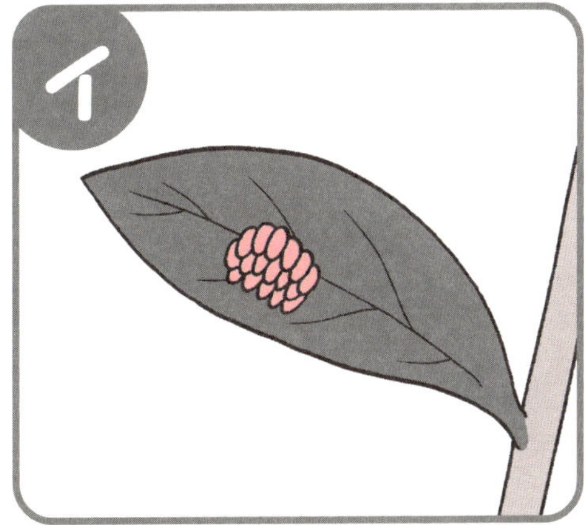

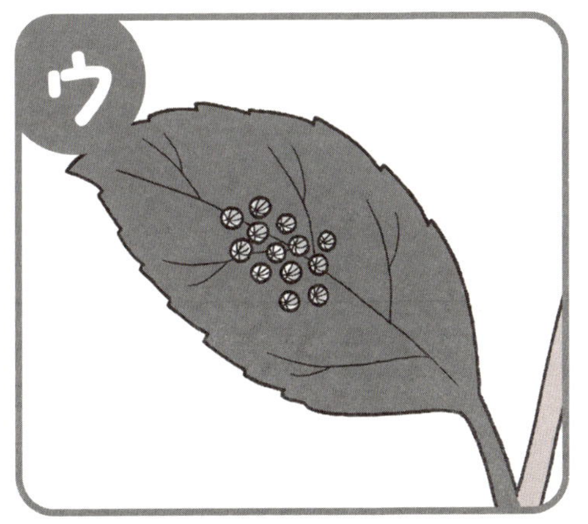

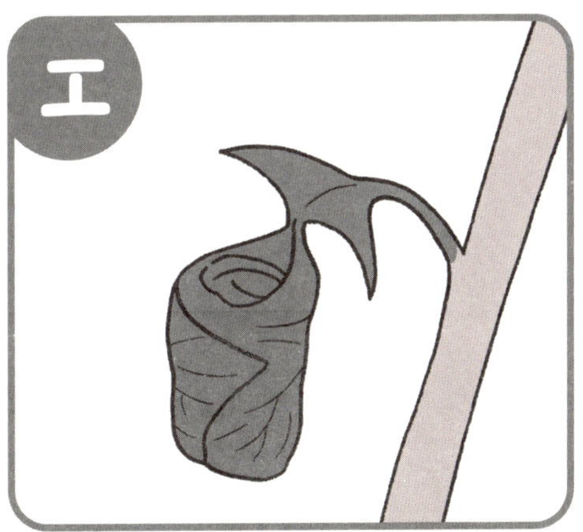

答え 4　正解は ㋐

オオカマキリは、あわを出して「卵のう」という入れ物を作り、その中に卵を産みつけるよ。卵のうは、かわくとスポンジのようになりとても丈夫だ。その中におよそ２００～３００個の卵が入っている。この卵のうに守られて、卵は冬を越し、春の終わりごろに幼虫がふ化するんだ。ちなみに、㋑はテントウムシの卵、㋒はオオムラサキの卵、㋓のゆりかごのような葉の中には、オトシブミの卵や幼虫が入っているよ。

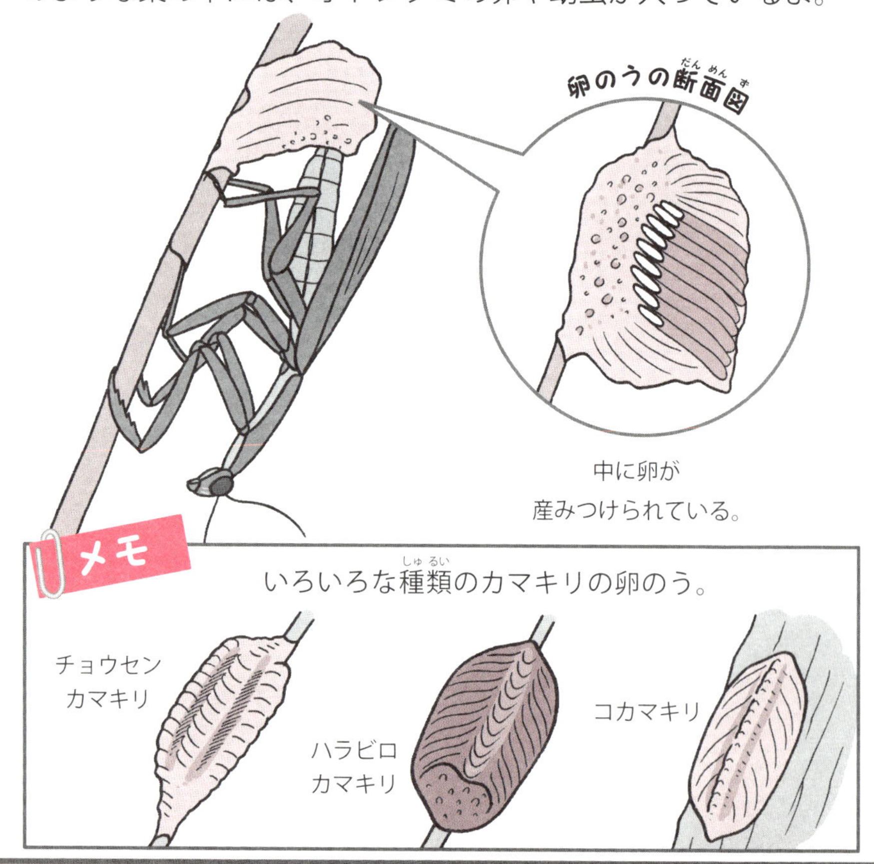

問題5 オニヤンマの目は、いくつ？

オニヤンマをはじめとするトンボの仲間は、みんな大きな目をしているね。さて、オニヤンマはいくつの目を持っているかな？

ア 1つだったと思うよ。

イ 2つだったはず。

ウ 6つくらいあったよ。

エ すごーくいっぱいの目が、集まっているよ。

答え 5　正解は エ

トンボに限らず、昆虫の目はみんな、小さな小さな目が集まってできているんだ。オニヤンマの目は、２つあるように見えるけど、実は２万個以上もの小さな目の集まりなんだよ。昆虫のこういった目を「複眼」というよ。

オニヤンマの頭

この１つ１つが小さな目なんだ。

羽があり、昼間に活動する昆虫には複眼のほかに、３個の「背単眼」という目がついているよ。この背単眼では主に光を感じると考えられているんだ。

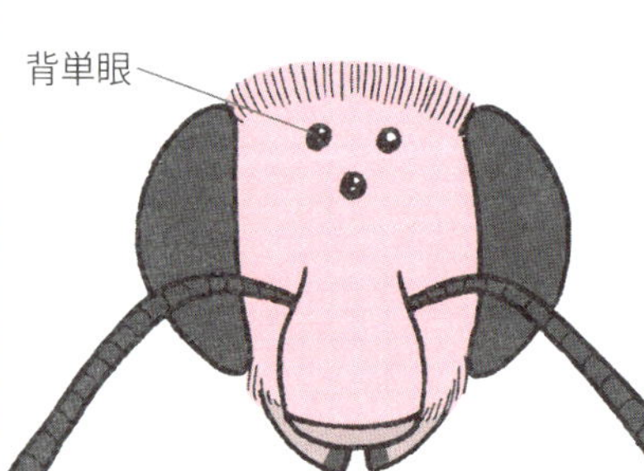

ミツバチの頭

問題6 アゲハの幼虫の角は、何のため？

アゲハの幼虫にさわったら、角のようなものを出したよ。これはどんな役割があるのかな？

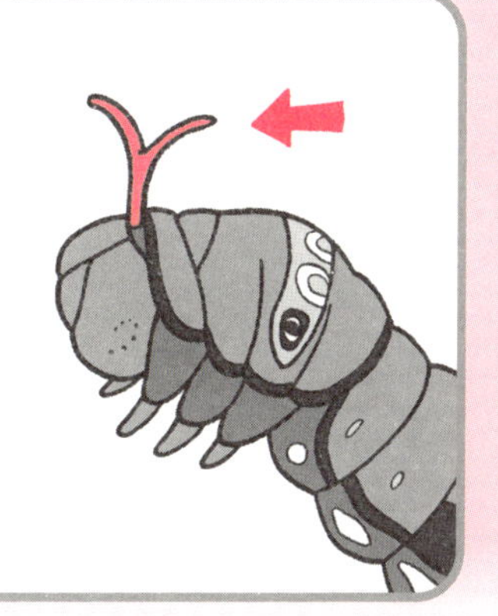

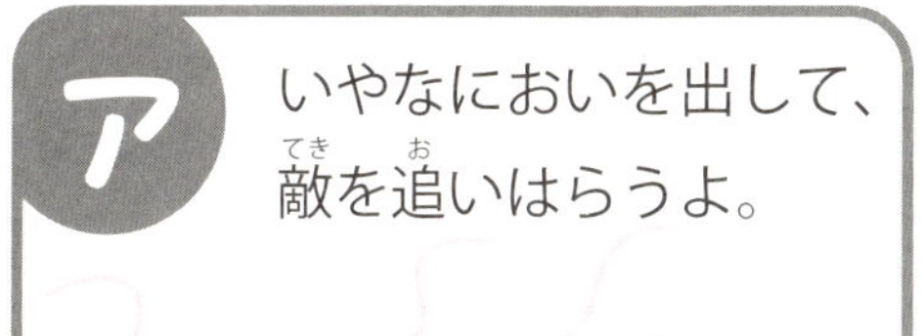

ア いやなにおいを出して、敵を追いはらうよ。

イ 仲間に危険を知らせる合図だよ。

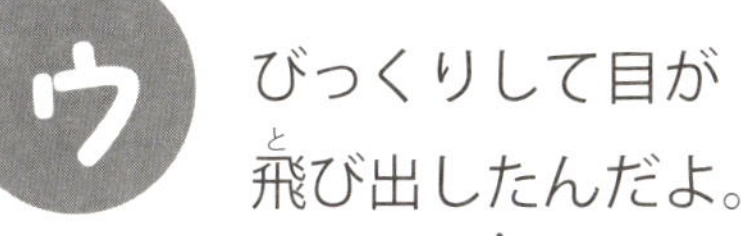

ウ びっくりして目が飛び出したんだよ。

エ この角で、敵をさすんだよ。

答え 6

正解は ア

アゲハの幼虫（ようちゅう）が出す角（つの）は、「臭角（しゅうかく）」といって、鳥のいやがるにおいを出すんだ。このほかにも、鳥に食べられないためのいろいろな工夫（くふう）を、幼虫はしているよ。

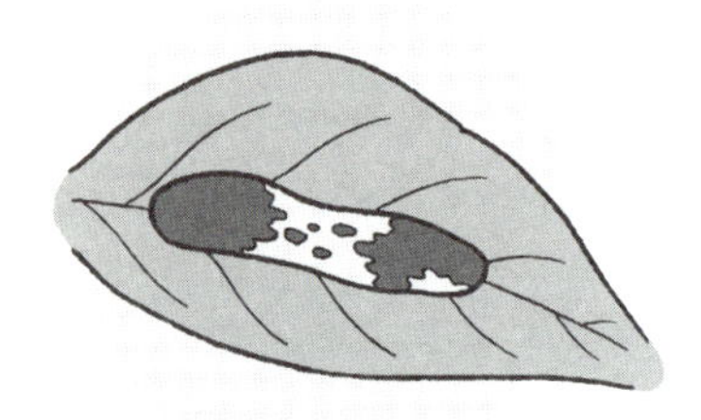

初（はじ）めのうちは、鳥のふんそっくり！

脱皮（だっぴ）をくり返（かえ）して大きくなると、目玉のような模様（もよう）が出る。また、周囲（しゅうい）の葉（は）と同じ色になり、目立たなくなる。臭角からいやなにおいを出すよ。

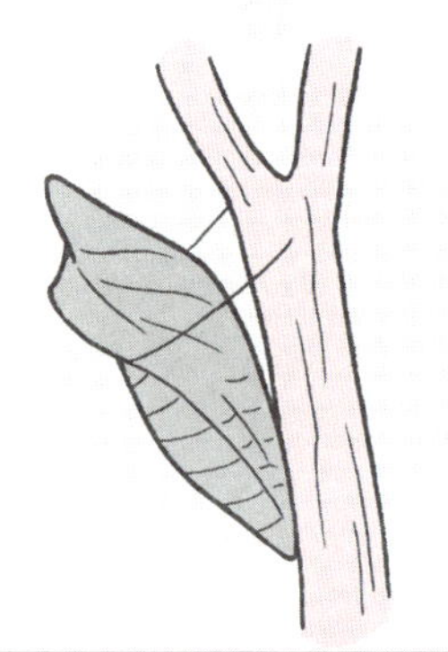

さなぎになると、葉にそっくり！

問題
7
モンシロチョウの口は、どれ？
下の絵の中で、モンシロチョウの口はどれかな？
何を食べるかを手がかりに、考えよう！
ア
イ
ウ
エ
オ

答え 7　正解は イ

モンシロチョウが食べるのは花のみつ。だから花の奥の方にあるみつを吸いやすい、細長くてよく曲がるストローのような口をしているんだ。使わないときは、くるくるとまるめておくよ。

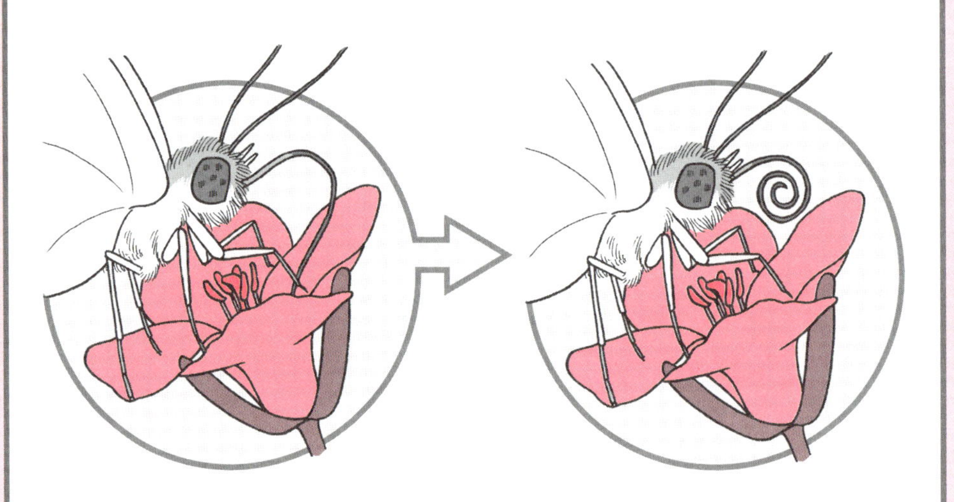

ア クロオオアリ

物をかんだり、かじったりする。

ウ ミツバチ

みつや水を吸う。

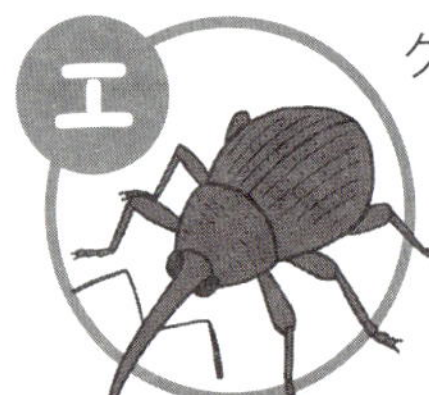

エ クリシギゾウムシ

木に穴をあける。

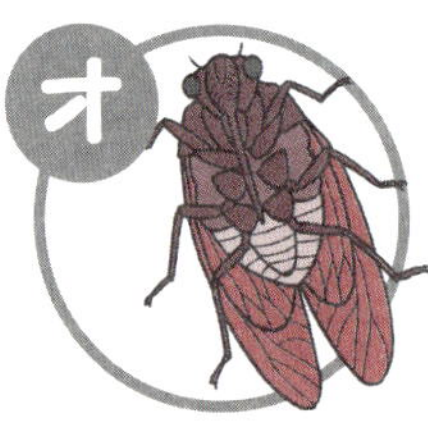

オ アブラゼミ

つきさして、樹液を吸う。

問題8 スズムシはどうやって鳴いている？

秋のすずしい風がふくころになると、草むらからスズムシの鳴き声が聞こえてくるね。さてこのスズムシ、どうやって鳴いているのだろう。体のある部分(ぶぶん)を使(つか)っているよ。どの部分かな？

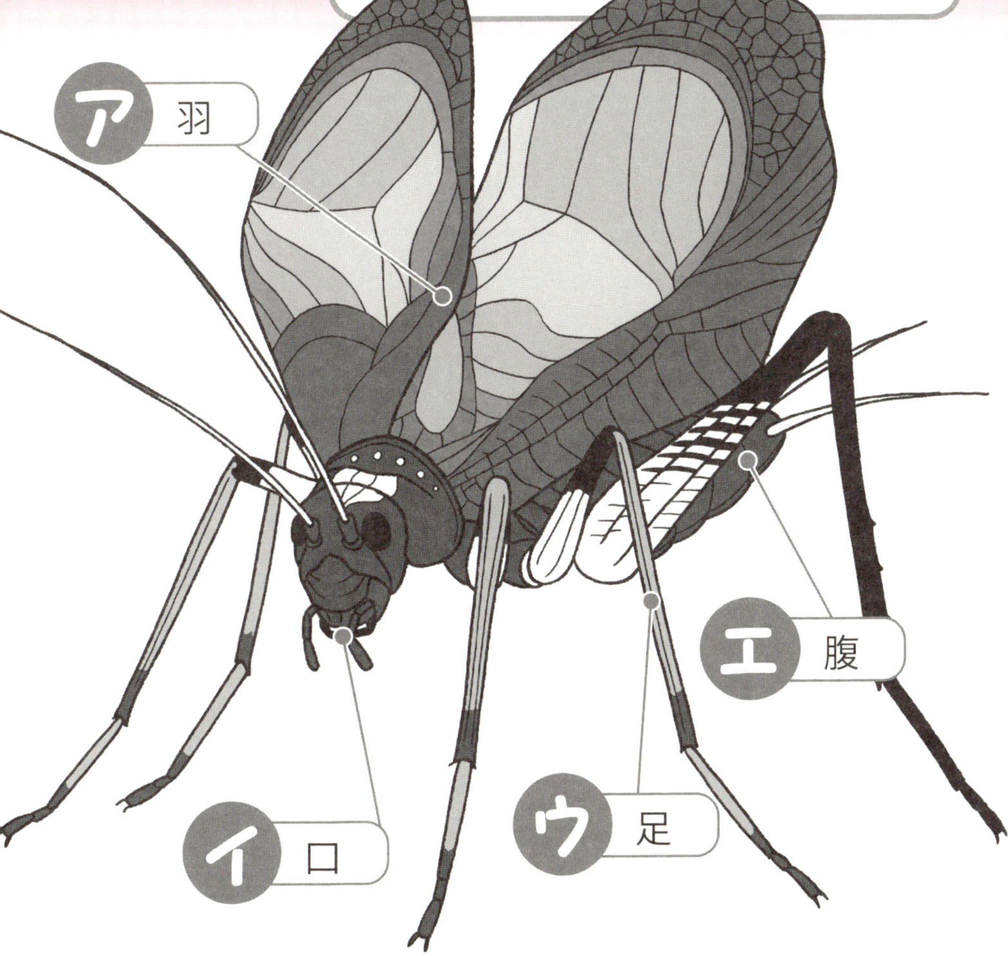

答え 8　正解は ア

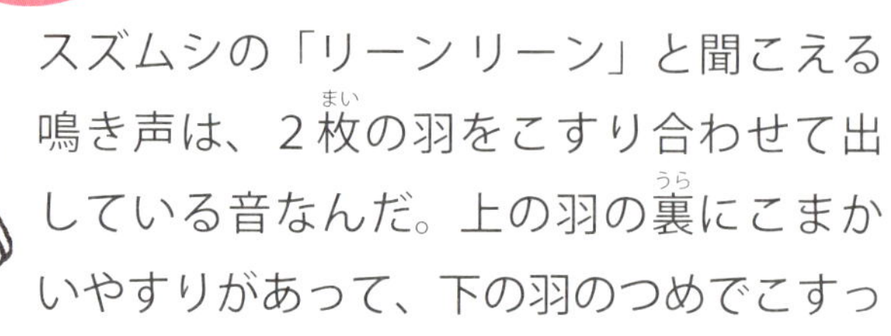

スズムシの「リーンリーン」と聞こえる鳴き声は、2枚の羽をこすり合わせて出している音なんだ。上の羽の裏にこまかいやすりがあって、下の羽のつめでこすって音を出しているよ。鳴くのはオスだけなんだ。

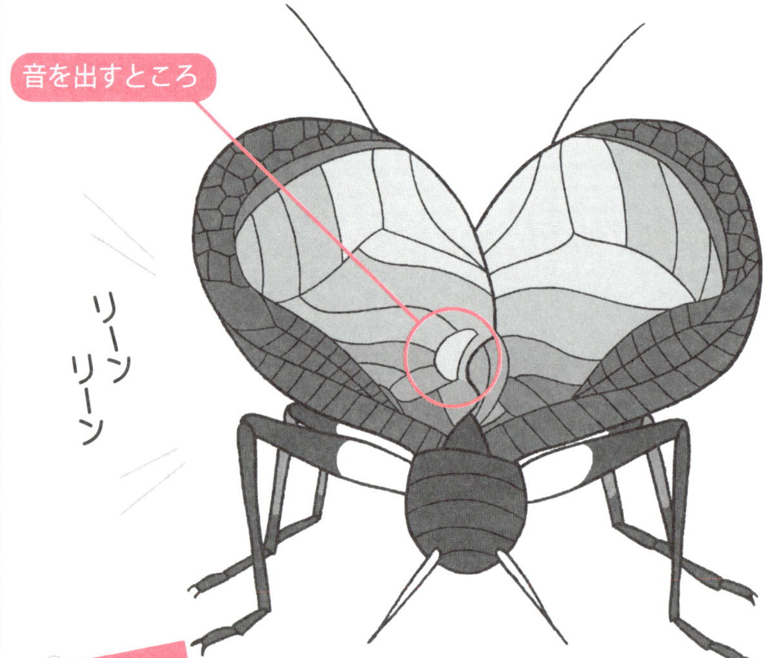

メモ

セミはスズムシとは違い、腹の中に音を出す部分があるよ。腹の外側にある「腹弁」で音を大きくするんだ。

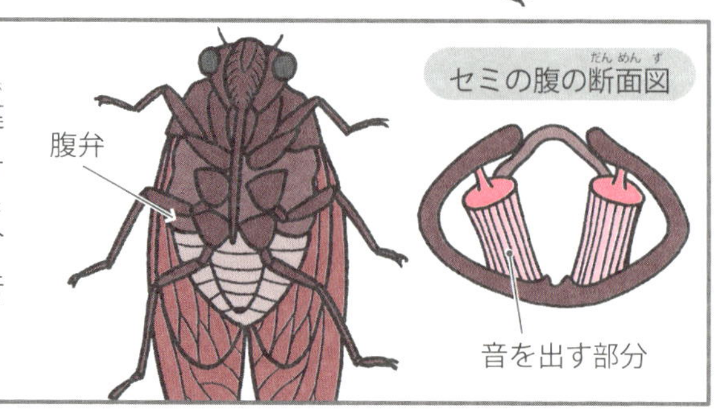

問題 9　カブトムシのメスは、どれ？

カブトムシのオスは、
立派な角があるから
すぐわかるね。では、
カブトムシのメスは
どんな姿かな？

答え 9　正解は㊀

カブトムシのメスに角(つの)はないんだよ。オスの角の大きさにもいろいろあって、体の大きなカブトムシは角も大きい。これは幼虫(ようちゅう)のときに食べた、えさの量(りょう)と関係(かんけい)しているようだ。幼虫の時期に食べたえさが少ないと、㋒のような小さな角のカブトムシに育(そだ)つと考えられるよ。ちなみに、㋐はコクワガタのメス、㋑はコクワガタのオスだ。

問題10 昆虫じゃない虫は、どれ？

原っぱや林で、いろいろな虫をつかまえてきたぞ。あれれ？ この中に昆虫じゃない虫が１匹だけまじっているみたいだ。それはどの虫かな？

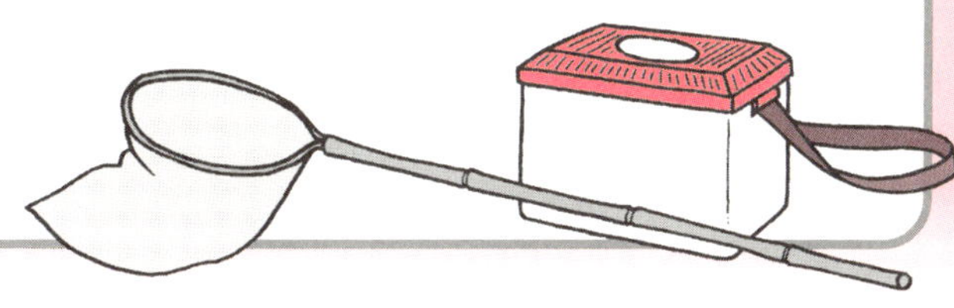

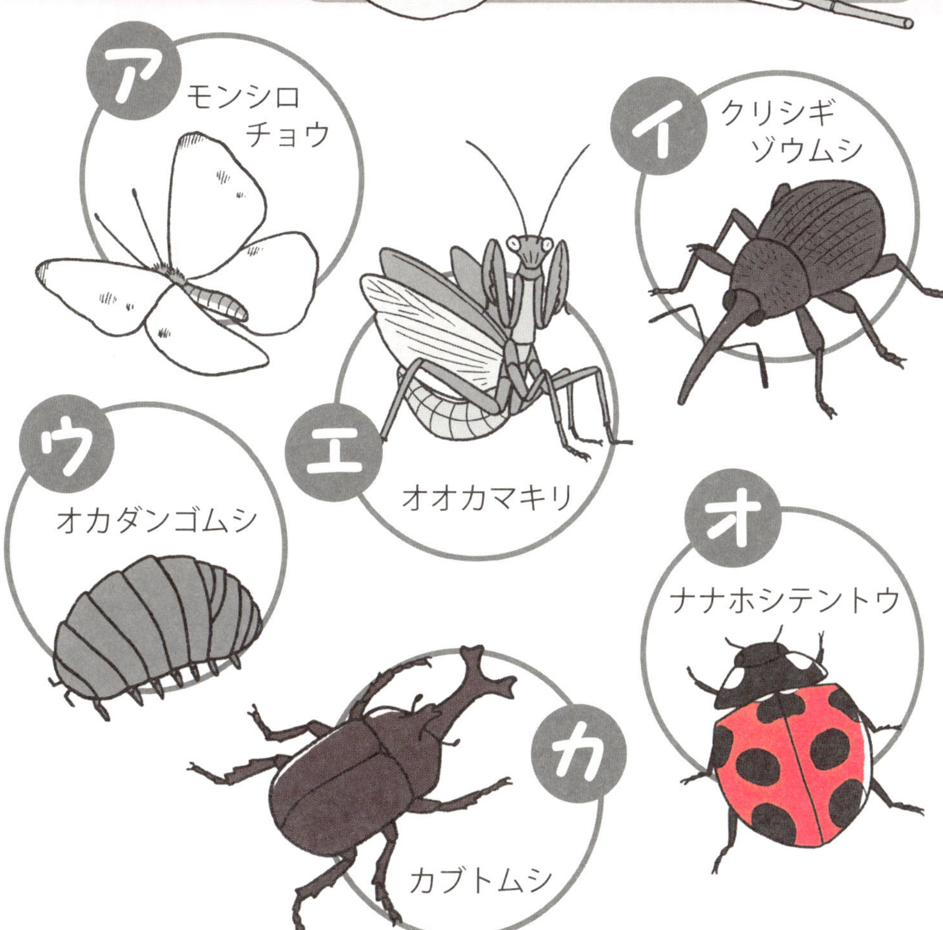

答え10　正解は ウ

昆虫とは、体が頭・胸・腹からできていて、胸に６本の足がある虫のことをさすんだったね。オカダンゴムシをよく見てみると足が１４本。オカダンゴムシをはじめとするダンゴムシの仲間は昆虫ではなく、かたいこうらを持つエビやカニと同じ甲殻類の仲間なんだ。

チョウ

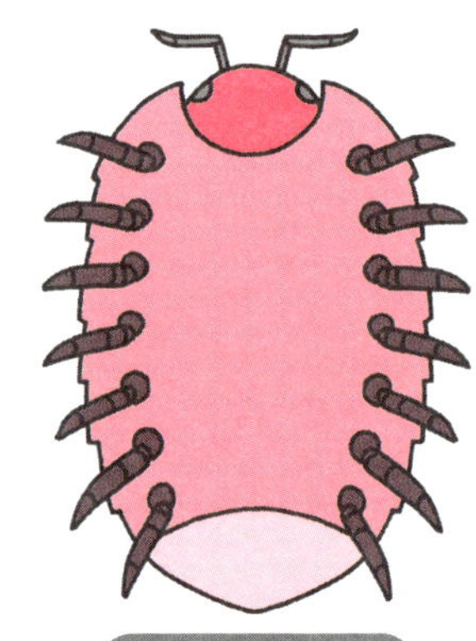

ダンゴムシ

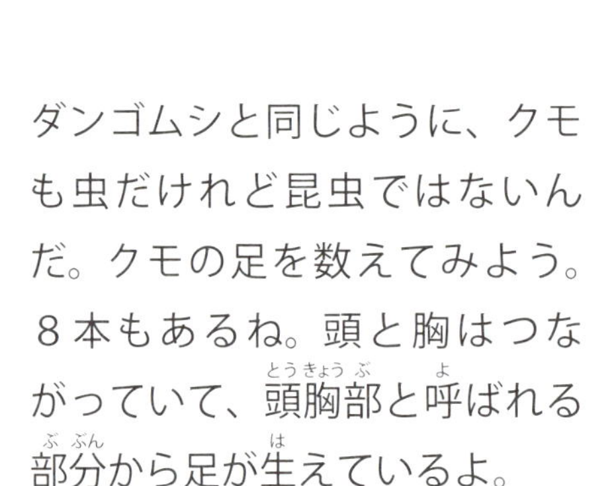

ダンゴムシと同じように、クモも虫だけれど昆虫ではないんだ。クモの足を数えてみよう。８本もあるね。頭と胸はつながっていて、頭胸部と呼ばれる部分から足が生えているよ。

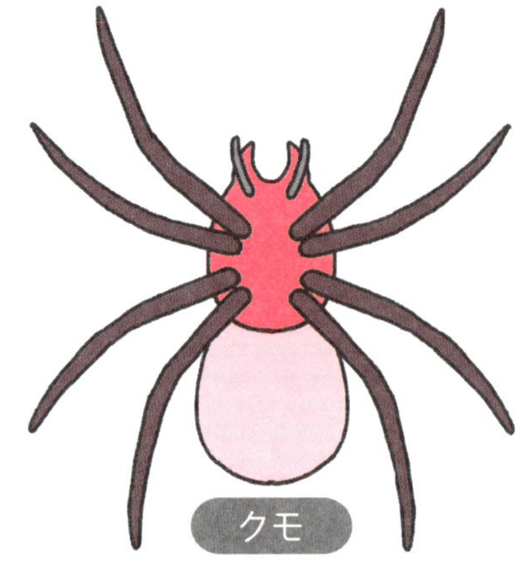

クモ

問題11 テントウムシの幼虫(ようちゅう)にあって成虫(せいちゅう)にないものは？

テントウムシの幼虫は、成虫にはない、便(べん)利(り)なしくみを持(も)っているよ。
それは何かな？

ア 口にストローがついているんじゃないかな。

イ おしりにきゅうばんがついているよ。

ウ ネバネバした糸をはくんだと思う。

エ 小さな羽がついているんだよ。

答え 11

正解は イ

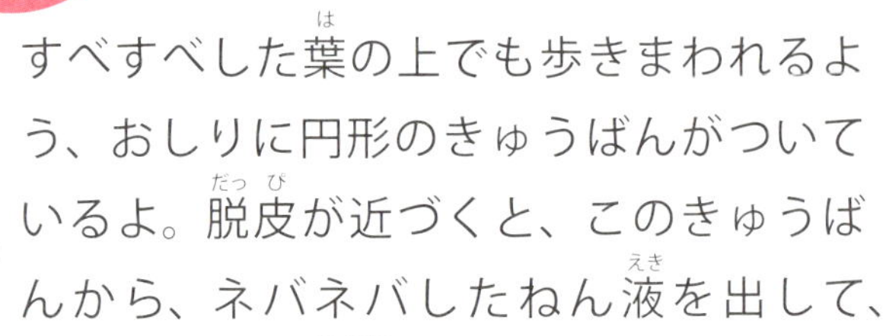

すべすべした葉の上でも歩きまわれるよう、おしりに円形のきゅうばんがついているよ。脱皮が近づくと、このきゅうばんから、ネバネバしたねん液を出して、枝や葉の裏にぶら下がるように体を固定するんだ。

問題 12 クワガタムシの羽は、何枚？

クワガタムシが飛んでいるところを、見たことがあるかな？クワガタムシは、羽を何枚持っているのだろう。

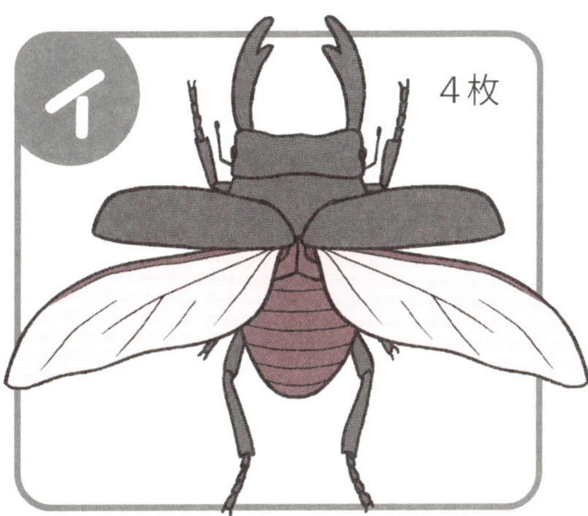

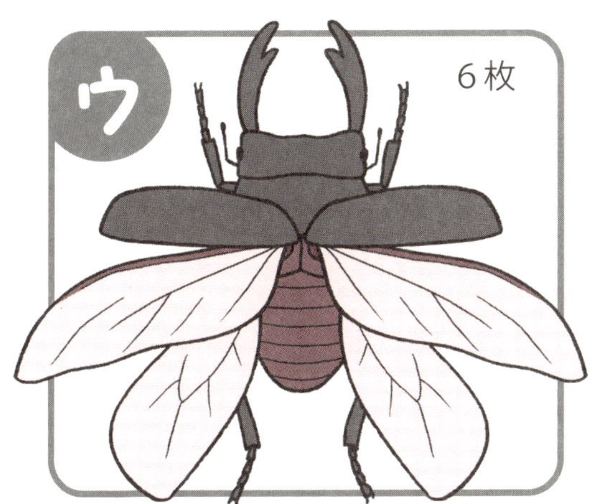

答え 12　正解は イ

クワガタムシの羽は、かたい前羽2枚と、大きくてうすい後ろ羽2枚の合計4枚だよ。飛ぶとき以外は、後ろ羽は前羽の下にたたまれているんだ。

前羽を飛行機のつばさのように開き、後ろ羽を力いっぱい羽ばたいて飛ぶ。カブトムシ、テントウムシも同じ飛び方をするよ。

前羽を動かさず、後ろ羽を動かして飛ぶ虫

クワガタムシ・カブトムシ・テントウムシ・カナブンなど。

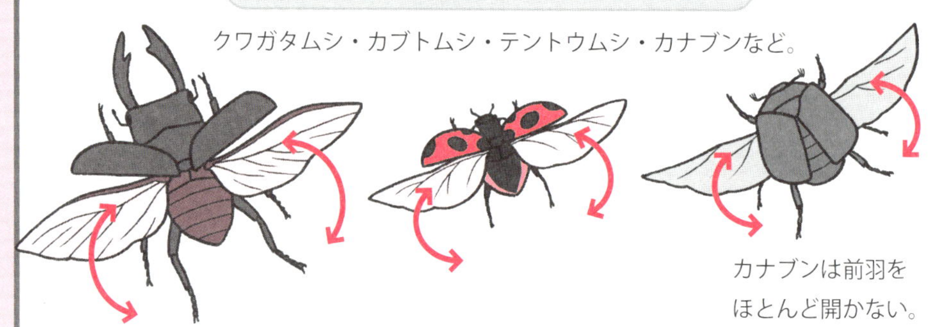

カナブンは前羽をほとんど開かない。

前後の羽を同時に動かして飛ぶ虫

モンシロチョウなどの、チョウの仲間。

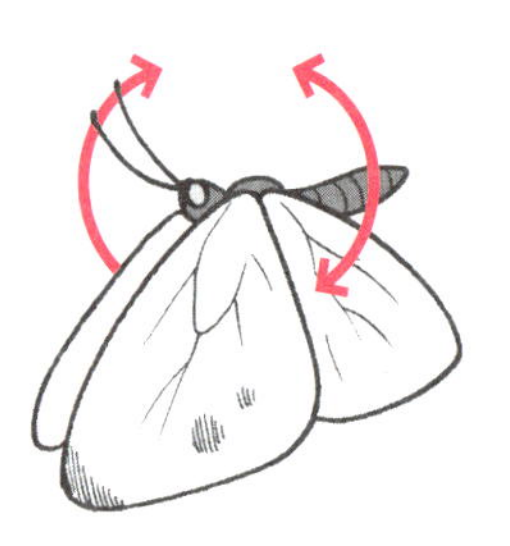

羽をたがいちがいに動かして飛ぶ虫

ギンヤンマなどの、トンボの仲間。

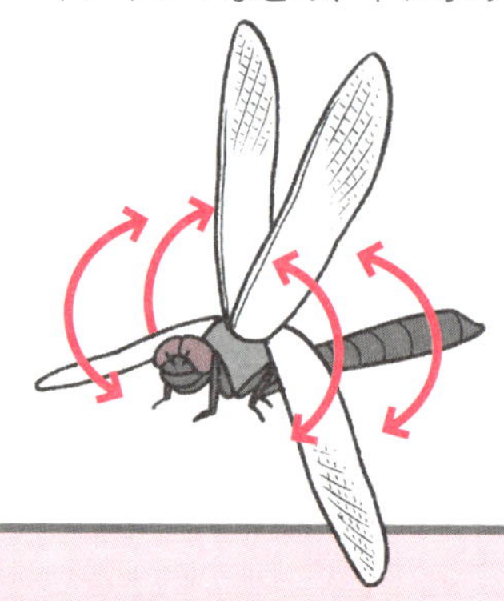

問題13 カブトムシの幼虫は、どこにいる？

カブトムシの幼虫を飼ってみようと思う。
どこを探せば幼虫を
見つけられるかな？
ア～オのうち、2つあるよ。

答え13　正解は ア オ

腐ってやわらかくなった木の中や、腐った落ち葉の中に、カブトムシのメスは卵を産むんだ。卵からふ化した幼虫は、大きなあごで腐った木や落ち葉を食べて、ぐんぐん大きくなる。その量は、卵がかえってからさなぎになるまで、どんぶり３杯分にもなるんだ。

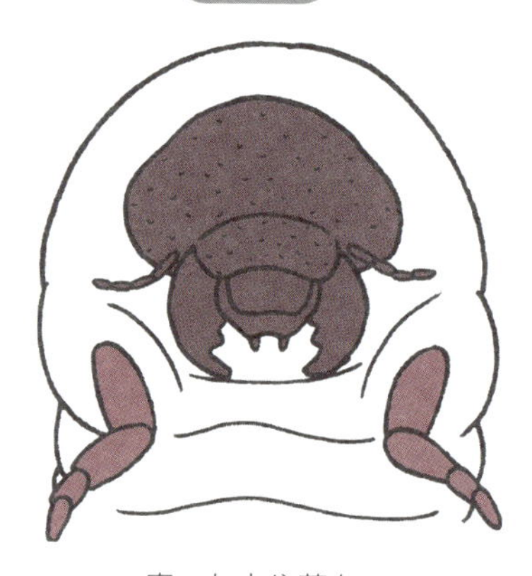

腐った木や葉を
かみくだく大きなあご

樹液をなめる
ブラシのような口

メモ

産みつけられた直後の卵の大きさは、２～３㎜ほど。
それが１０日ほどたち、真っ白だった卵が茶色っぽくなり、
大きさも４～４.５㎜くらいになると、幼虫がふ化するのも
もうすぐだ。

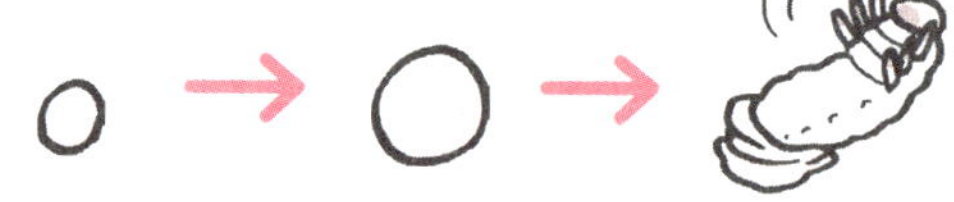

問題14 ナミテントウの模様で、ないのはどれ？

野山でもっともふつうに見られるナミテントウ。正式な名前をテントウムシというね。
下の絵の中に、実際にはない模様のナミテントウがまじっているよ。
それは何匹いるかな？

答え 14 正解は3匹

ナミテントウの羽の模様はいろいろあって、こまかく分類すると５０種類以上にもなるんだ。

黒い模様、赤い模様、模様がほとんどないものなど、実に様々だけど、右と左の羽の模様は必ず対称になっているんだ。

〇…実際にある模様　✕…実際にはない模様

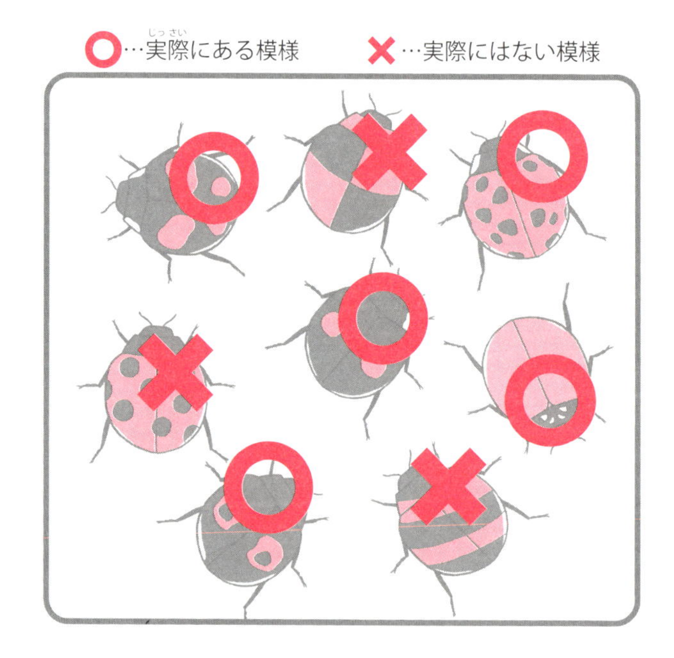

ナミテントウの模様は、大きく４種類に分けられているよ。

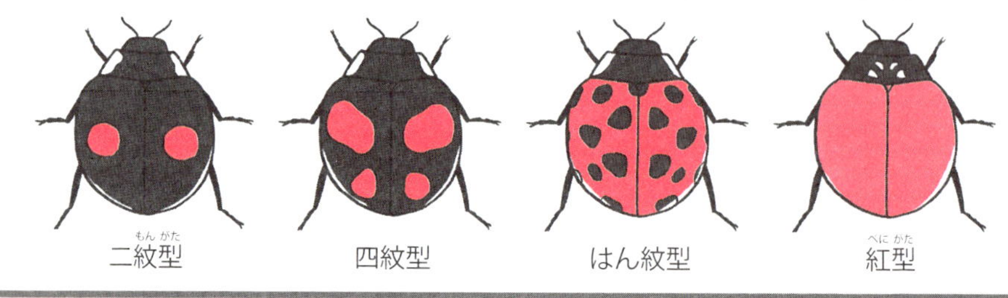

問題15 モンシロチョウが卵を産む場所は、どこ？

卵を産む場所を探して、モンシロチョウが飛んで来たぞ。さて、次のうちどこに卵を産むのかな？

15 正解は エ

モンシロチョウの幼虫は、キャベツやブロッコリー、ダイコンなどのアブラナ科の葉が大好物。だからモンシロチョウのお母さんは、これらの葉の裏に卵を産みつけるんだよ。

幼虫は脱皮を４回くり返して、さなぎになる。その間に、キャベツの葉だと、外側の葉１枚ほど食べるんだ。

問題16 カマキリのこのポーズは、何？

カマキリがカマを頭の横にかまえ、羽を広げているぞ。このポーズは、どういう意味があるのかな？

ア 負けました、こうさん！のポーズだよ。

イ 敵をいかくするポーズだと思う。

ウ メスに求愛するポーズだと思う。

エ 日光浴するポーズじゃないかな。

答え16　正解は イ

カマキリが、カマを頭の横にかまえ、羽を広げるのは、体を大きく見せ、自分を食べようとする天敵や、ライバルのカマキリをいかくするためのポーズなんだ。

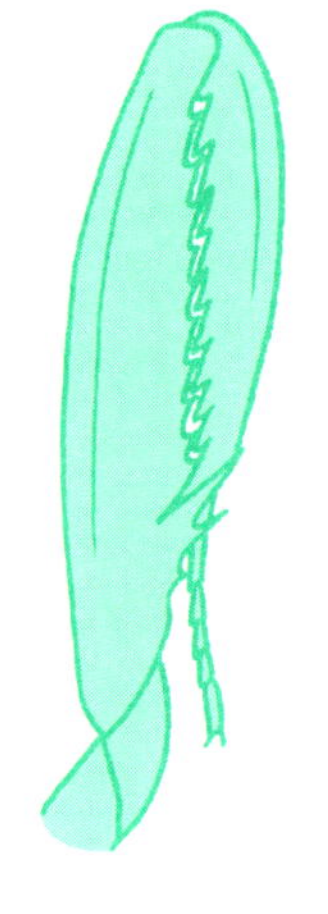

オオカマキリのカマには、のこぎりのようなギザギザがいっぱいついていて、これでエサとなる虫をがっちりつかまえるんだね。折りたたむと、すき間なく合わさるようになっているよ。

この部分は、木に登ったりするときに使う。

カマキリがつかまえるのはチョウ、ハチ、ハエ、バッタなど、このほか自分の体ほどもあるトンボ、セミなどもつかまえることがあるよ。つかまえるのは動いている虫だけで、死んだ虫には手を出さないんだ。

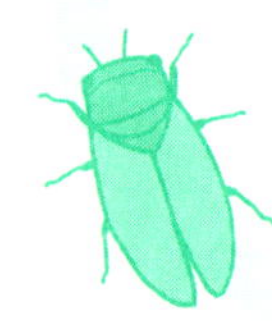

問題17 テントウムシを冬眠させるには…？

テントウムシは冬になると冬眠をするんだ。飼っているテントウムシを冬眠させてあげるには、どうしたらいいかな？

ア 落ち葉をしきつめてあげるんだ。

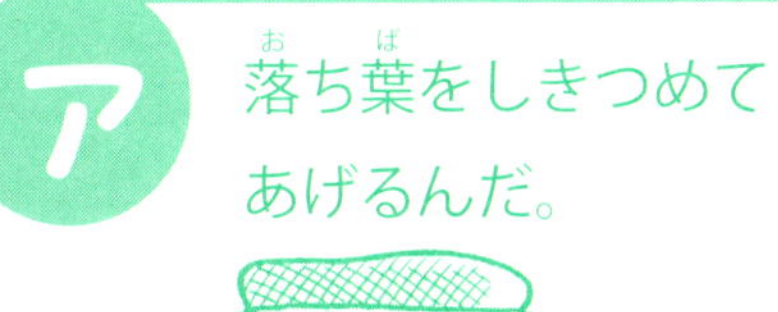

イ 暖かい所においてあげるんだと思うよ。

ウ 寒い外に出しておくといいよ。

エ ビンの中をからにしておくんだよ。

答え 17　正解は ア

秋が深まり、テントウムシがえさを食べなくなったら、そろそろ冬眠の準備だ。ビンの中に落ち葉をしきつめて、部屋の暗くて寒いところにおこう。昆虫は体温を調整できないから、0℃以下の寒さでは、体内の水分が凍って死んでしまうよ。逆に暖かいところでは弱って死んでしまうんだ。上手に冬眠させてあげようね。

自然の中での冬眠の様子

落ち葉の下にもぐりこむ

木のすき間などで集団になる

テントウムシを飼ってみよう

えさはリンゴ。卵を産ませたい場合は、アブラムシのついた枝を入れる。

通気性のよい、ガーゼなどでふたをする。

テントウムシがひっくり返ったときに足場になるよう、ティッシュペーパーをしく。

たくさんいるよ！テントウムシの仲間たち

日本には１５０種類をこえるテントウムシの仲間がいるんだ。食べる物によって大きく３つのグループに分けられるよ。

虫を食べる

日本のテントウムシたち

植物の葉を食べる

ニジュウヤホシテントウ

トホシテントウ

カビなどの菌を食べる

シロホシテントウ

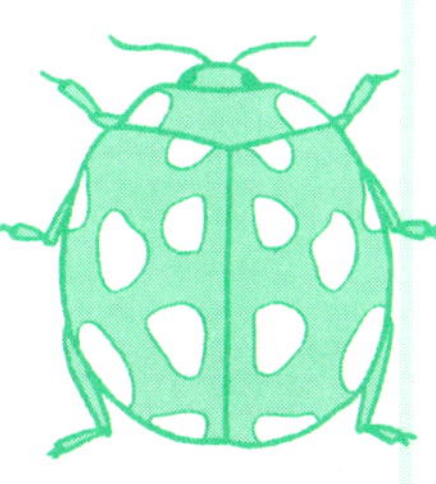

シロジュウシホシテントウ

まだまだ、いろんな模様のテントウムシがいるよ。図鑑などで調べてみよう！！

問題18 秋に鳴く虫は、どれ？

夏の終（お）わりから秋にかけて、夕暮（ぐ）れどきになると、さまざまな虫の鳴き声が聞こえてくるね。
次（つぎ）のア～カのうち、秋になると鳴く虫は何匹（びき）いるかな？ 数えてみよう。

ウ
カナブン
エ
キリギリス
オ
エンマコオロギ
ウマオイ
カ

答え18 正解は4匹(ひき)

音を出す虫は、セミやバッタなどいろいろいるけれど、秋に鳴く虫といえばコオロギやキリギリスの仲間(なかま)だ。鳴くのはオスで、メスを呼(よ)んだり、ほかのオスを追(お)いはらったりするために鳴くよ。羽と羽をこすり合わせて、音を出しているんだね。

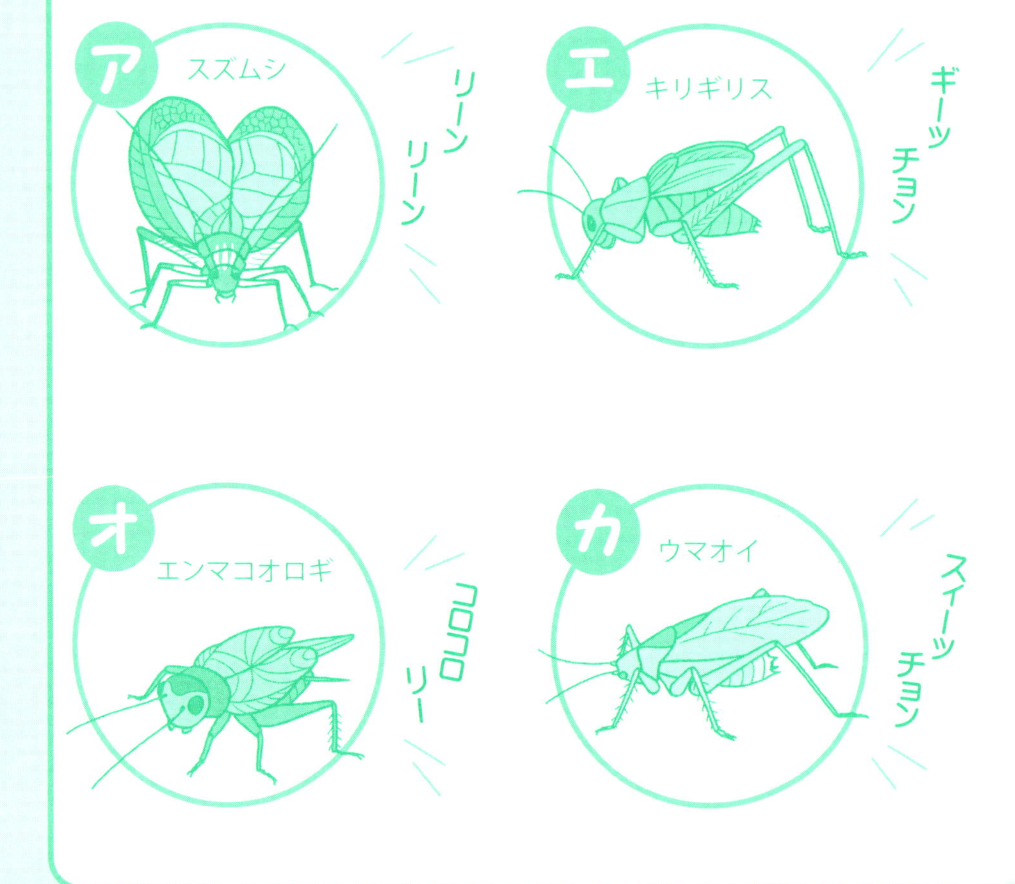

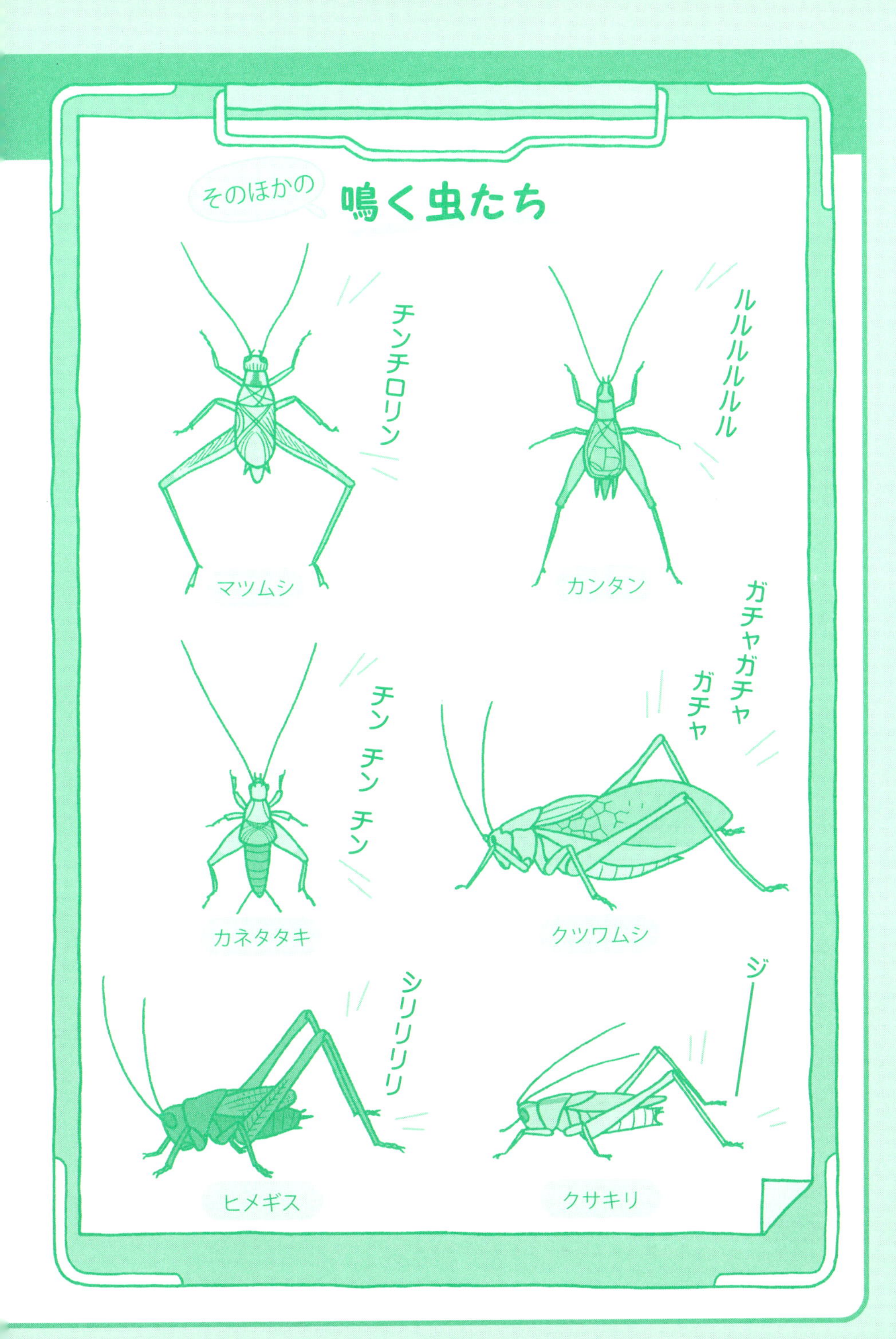
そのほかの
鳴く虫たち
チンチロリン
マツムシ
ルルルルルルル
カンタン
チン チン チン
カネタタキ
ガチャガチャ ガチャ
クツワムシ
シリリリリ
ヒメギス
ジー
クサキリ

アリをねらう敵は、どれ？

巣穴から一歩外へ出たアリには危険がいっぱい！
次のア～カの中で、アリの敵はどれかな？

カエル
エ
クモ
ウ
オ
植物の種
アリジゴク
カ

答え 19　正解はアウエカ

アリジゴク、クモ、カエルはアリを食べようとする天敵だ。そして、ほかの巣のアリも、なわばりを争ってけんかになる敵なんだ。植物の種はアリの食料になる。テントウムシは食料になるアブラムシをめぐって、アリが攻げきすることはあるけれど、テントウムシのほうからアリをおそってくることはないよ。

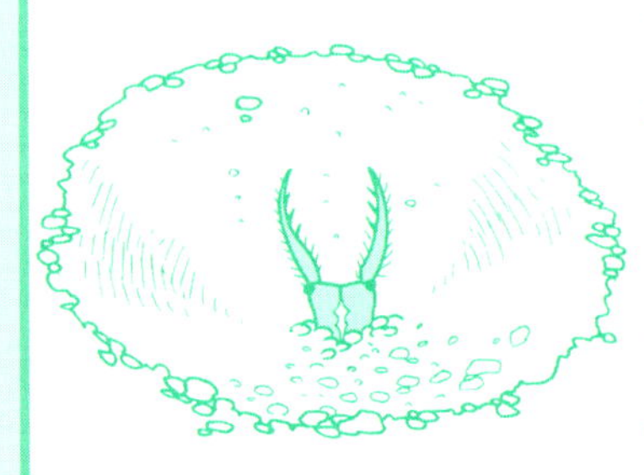

アリジゴクはウスバカゲロウの幼虫だ。かわいた地面に、すりばち状の巣を作り、アリを待ちぶせするぞ。この巣にアリが落ちこむと、土の壁がくずれてにげ出せないんだ。そこをアリジゴクがするどいきばでかみつき、アリの体液を吸ってしまう。

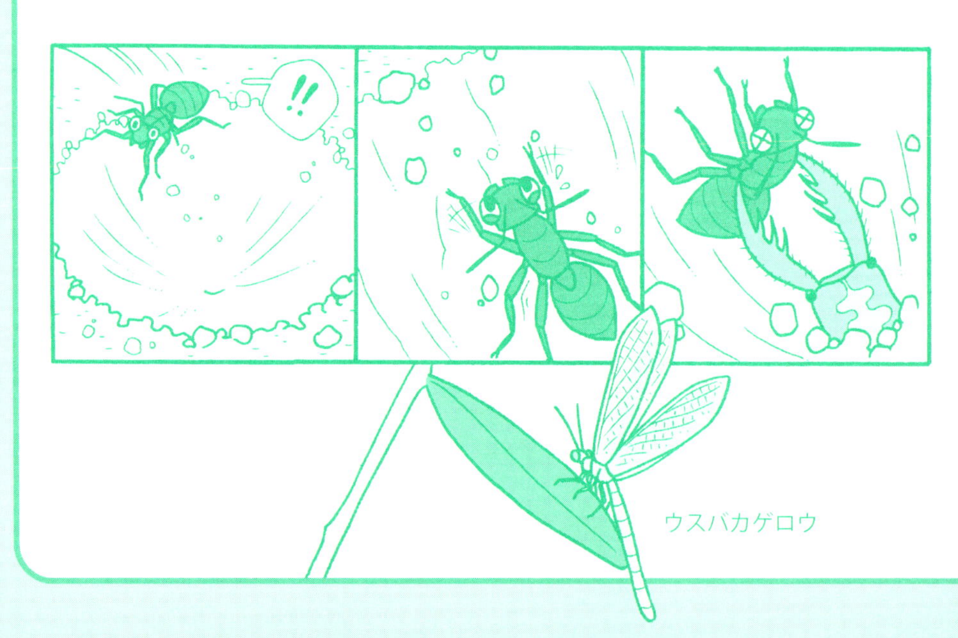

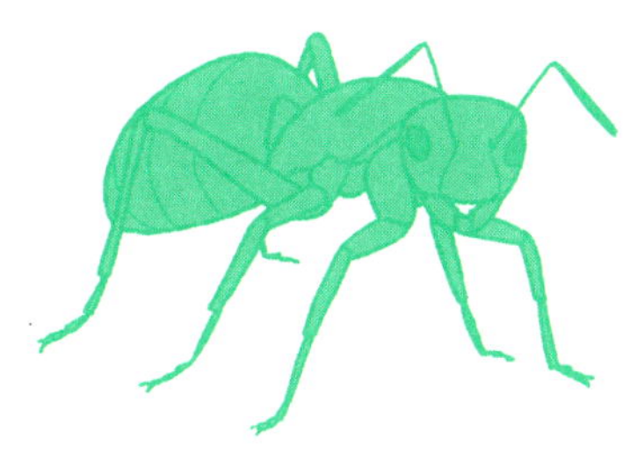

アリの世界では、別の種類のアリはもちろん、同じ種類のアリでも、巣が違うと仲間にはなれないんだ。そのため同じ種類のアリどうしが、えさの取り合いなどでたたかうこともあるよ。

アリのけんかは、触角でふれあうことから始まる。違う巣でくらすアリはにおいでわかるので、触角を使ってにおいを確かめるんだね。

敵だとわかると、おしりを持ち上げて「ぎ酸」という毒をふきかける。ひりひりとしみるぎ酸に相手がひるんだところで、足や触角にかみついて攻げきするんだ。

けんかは、どちらかが死んで動けなくなるまで続くんだ。

助け合って生きる昆虫たち

アブラムシがいっぱいついている植物のくきに、アリもやって来ているところを見たことがあるかな？ テントウムシのように、アブラムシをつかまえるのかな？……いや、違うんだ。アリはアブラムシがおしりから出す「甘ろ」というみつを集めに来たんだ。アリにとっては、アブラムシは大事な食料のもと。だからアブラムシを食べにテントウムシがやって来ると、アリはかみついて追いはらうよ。

アリはアブラムシから食料をもらうかわりに、アブラムシをテントウムシから守っているんだね。こんなふうに、おたがい助け合う関係を「共生」というよ。

問題 20 トノサマバッタはどこに卵(たまご)を産(う)む？

秋になると、トノサマバッタのメスは
卵を産むよ。
さて、どこに産むのかな？

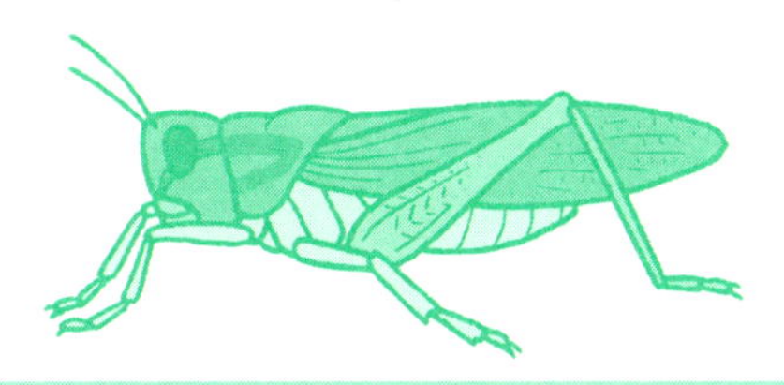

ア
葉(は)の裏(うら)だと思うよ。

イ
水の中じゃないかな。

ウ
木のみきに産むんだよ。

エ
土の中に産むはずだよ。

答え 20

正解は ㋓

トノサマバッタの卵は、土の中４㎝ほどの深さに産みつけられる。卵は茶色いスポンジ状のあわに包まれているよ。あわに守られて、卵のまま冬をこし、春になると成虫に似た姿の幼虫が出てくるんだ。

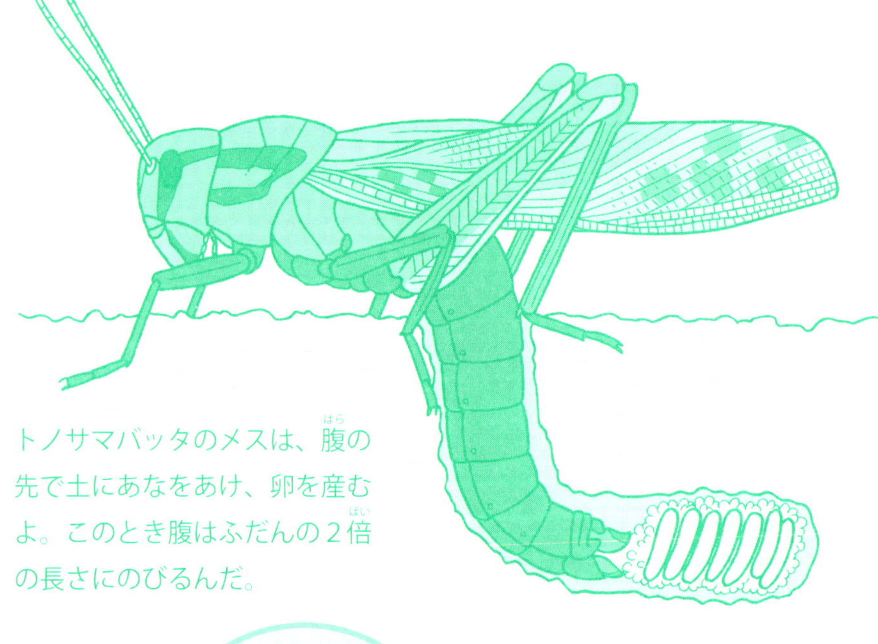

トノサマバッタのメスは、腹の先で土にあなをあけ、卵を産むよ。このとき腹はふだんの２倍の長さにのびるんだ。

卵からかえった直後の幼虫は、うすいふくろに包まれている。地上に出るときに、このふくろはぬぎ捨てられるよ。

問題21 アメンボが水にうくのは、なぜ？

池や沼の水面をすいすいと動きまわるアメンボ。
どうして水にしずまないんだろう？

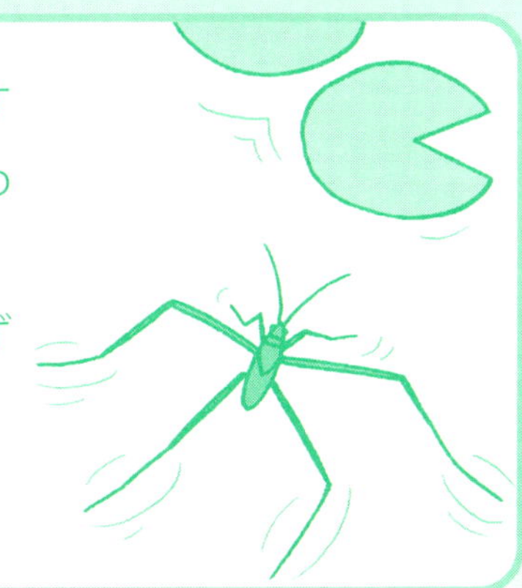

ア 足の裏に水をはじくこまかい毛がいっぱい生えているんだよ。

イ 足の中に空気が入っていて、うくんじゃないかな。

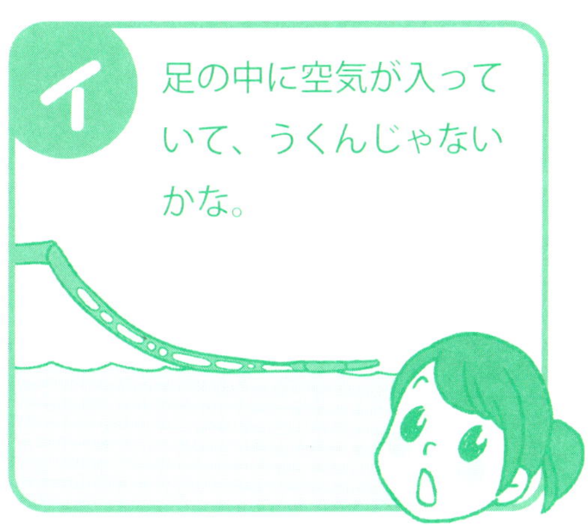

ウ す早く足を動かして立ち泳ぎをしているんだと思う。

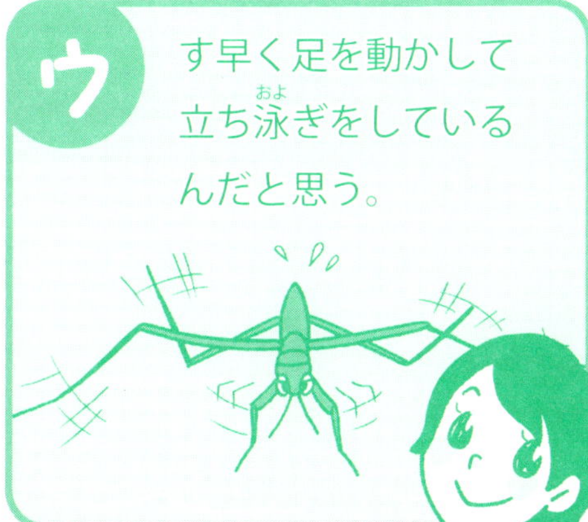

エ 常に羽ばたいて、体を持ち上げているはずだよ。

答え21　正解は ア

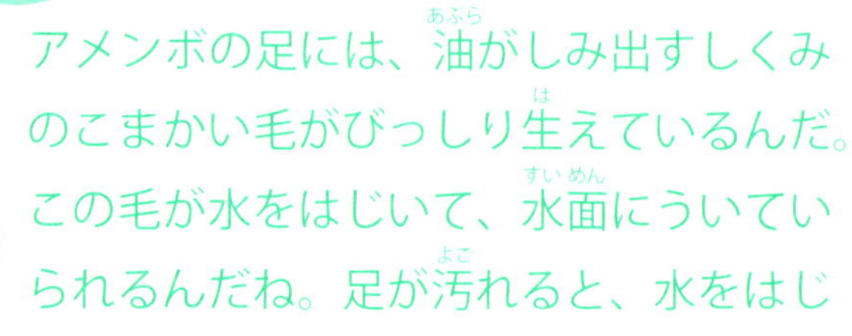

アメンボの足には、油がしみ出すしくみのこまかい毛がびっしり生えているんだ。この毛が水をはじいて、水面にういていられるんだね。足が汚れると、水をはじく力が弱まってしずんでしまう。だから、きれいな水でしか生きられないんだよ。

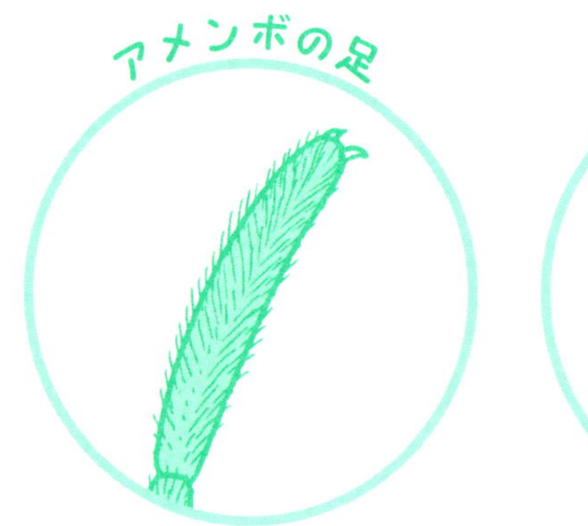

メモ

アメンボの仲間であるオオアメンボは、自分の足を使って水面に波をおこし、そのリズムでメスを呼ぶことができるよ。

問題22 カブトムシのさなぎは、どんな姿？

カブトムシの幼虫は、卵からかえったあと、３回脱皮してさなぎになるよ。次の中で、カブトムシのさなぎの正しい姿はどれかな？

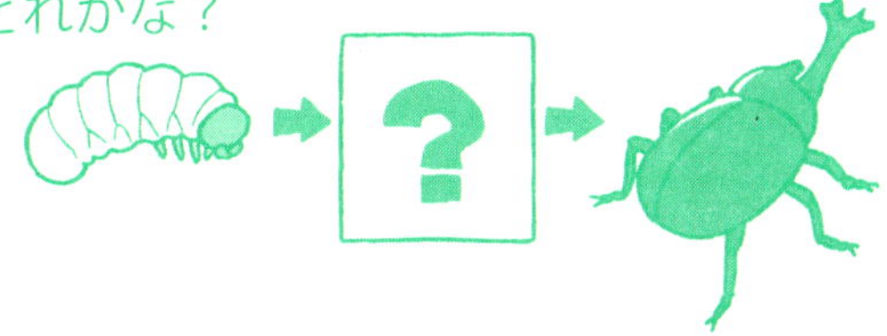

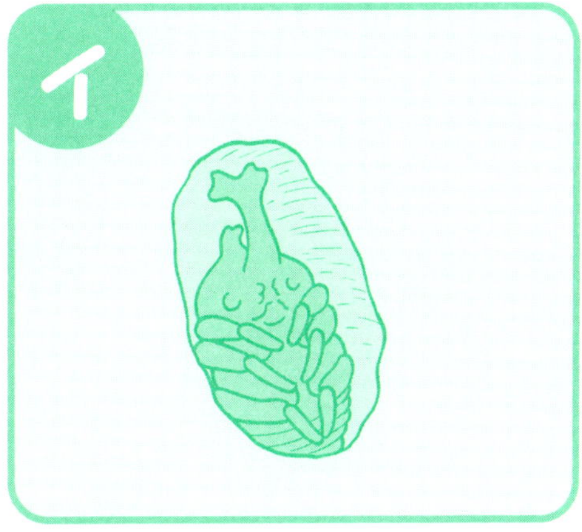

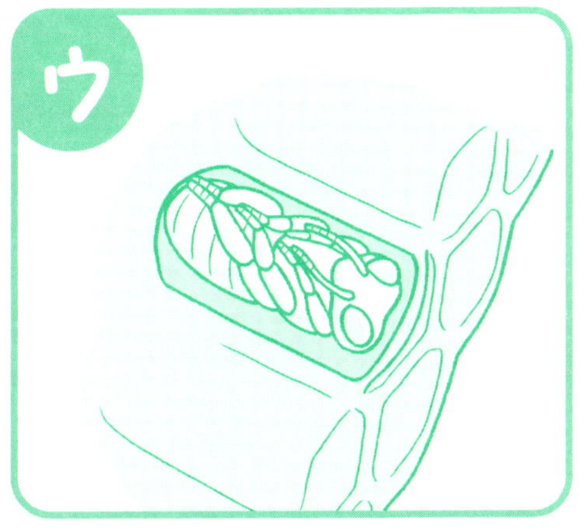

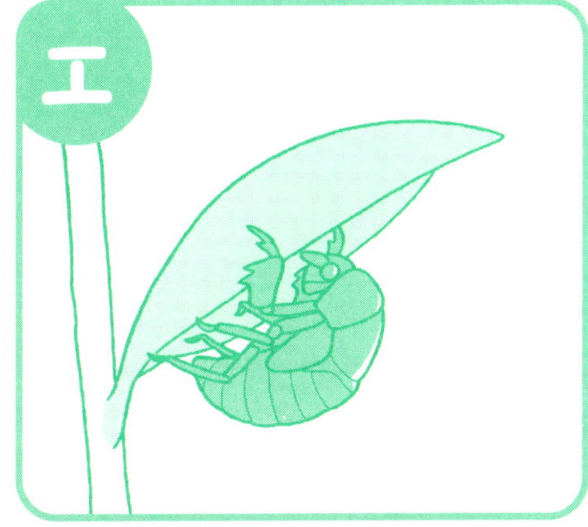

答え22　正解は イ

卵からかえった幼虫は、１０か月ほどたつと、土の中で体をぐるぐるまわし、さなぎになるための部屋「よう室」を作る。そのよう室の中で３回目の脱皮をして、さなぎになるんだ。それまでのいも虫のような姿から一転、さなぎは成虫と同じ立派な角のある姿になるよ。

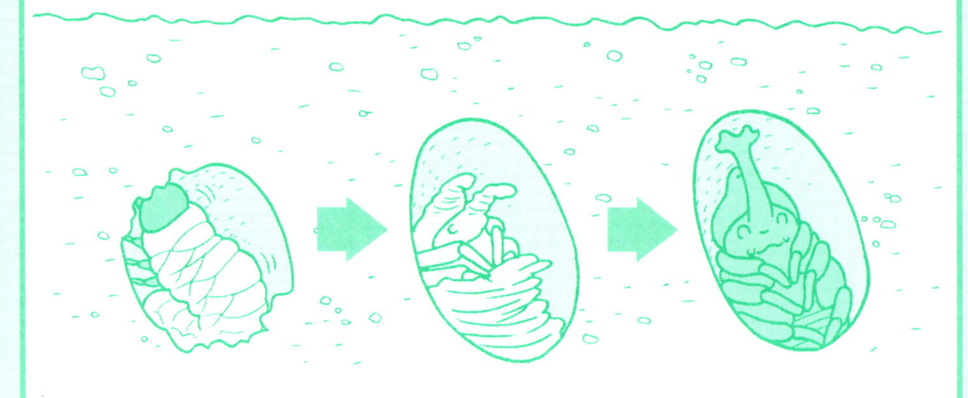

アゲハのさなぎ

ミツバチのさなぎ

アブラゼミのさなぎ

さなぎには、成虫と同じ姿のもの、まったく違う姿のもの、いろいろあるんだね。

問題23
ギンヤンマはどこに卵を産む？
大きな羽で空を飛びまわるギンヤンマ。さて、このギンヤンマ、卵はどこに産むのかな？
ア 石や岩の下
イ 地上の植物の葉
ウ 腐った木
エ 土の中
オ 水中の水草のくき

答え23　正解は オ

ギンヤンマをはじめとするトンボの仲間は、水の中に卵を産むよ。

ギンヤンマは水草のくきなどに、卵を産みつけるんだ。卵から生まれた幼虫は「やご」といい、水の中で成長するんだ。

水草のくきに、おしりにある注射器のような産卵管で傷をつけ、長さ2㎜ほどの卵を産みつける。

メモ

ギンヤンマは、オスがおしりの先でメスの頭をつかんだ形で交尾するよ。その後、メスはオスにつかまれたまま、卵を産む。これは、メスをほかのオスに取られないようにするためなんだって。

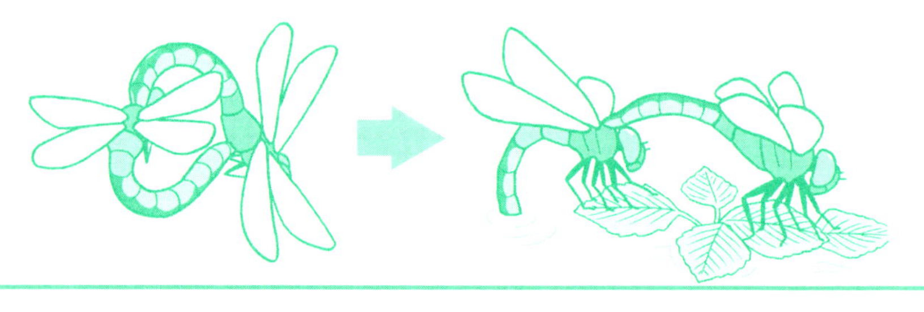

問題24 オオクワガタは、何を食べる？

大きなあごが特ちょうのオオクワガタ。さて、このオオクワガタは何を食べるのだろう。

ア 大きなあごで、虫をつかまえるんだよ。

イ 腐った木を食べるんじゃないかな。

ウ 木から染み出る樹液を食べるんだと思うよ。

エ 花のみつを食べるのかもしれないよ。

答え 24　正解は ウ

オオクワガタの成虫はカブトムシと同じように、木から染み出す甘い樹液を食べるんだ。舌はブラシのようになっていて、樹液を集めて吸うよ。こんなところも、カブトムシとよく似ているね。

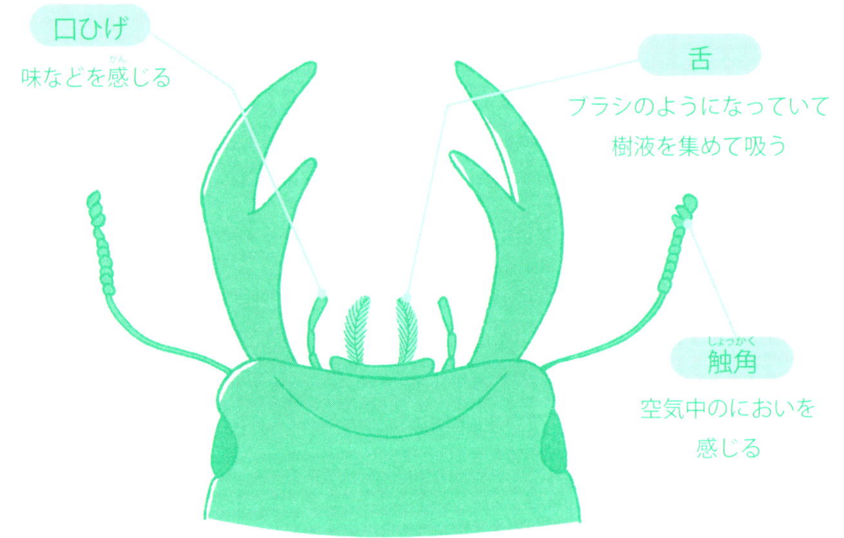

クワガタムシの仲間は、メスにも小さいながら大あごがあるよ。メスはこのあごを使って、腐った木にあなをあけ、卵を産むんだ。生まれた幼虫は、腐った木を食べて大きくなる。成虫と幼虫で、食べるものが違うんだね。

ギンヤンマの幼虫は、どれ？

水の中に卵を産むギンヤンマ。
卵からかえった幼虫は、どんな姿をしているのかな？

答え 25

正解は ア

ギンヤンマの幼虫は、水の中で脱皮をくり返し大きくなっていくよ。水の中でも呼吸ができるしくみを持っているんだ。夏の終わりから秋にかけて生まれた幼虫は、寒い冬を冬眠して過ごし、次の年の初夏に羽化をして成虫になる。羽化をするときに初めて、水の上に出るんだ。

トンボの幼虫「やご」は、大きな下あごを持っているよ。この下あご、ふだんは体の下に折りたたんでおき、えものが近よるとさっとのばしてつかまえる。
大きくなったやごは、おたまじゃくしやメダカもつかまえるんだ。

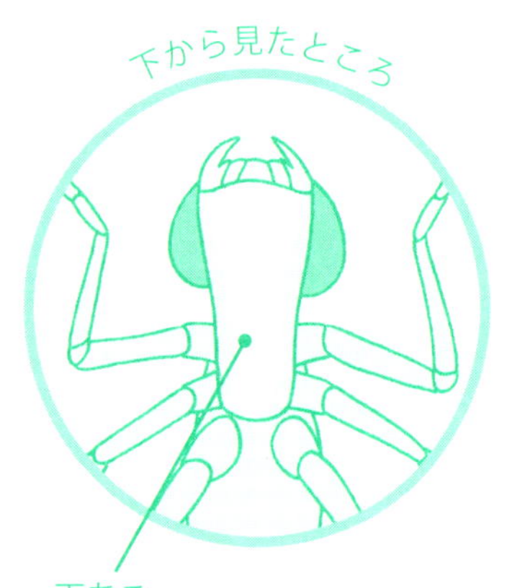

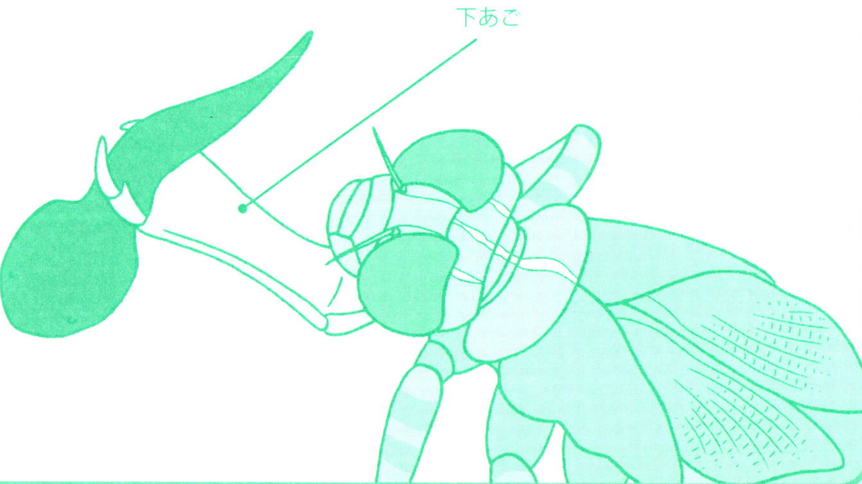

問題26 ナミテンテントウの幼虫、好物は何？

ナミテントウはアブラムシを食べるね。
では、その子どもであるナミテントウの幼虫は、何を食べるのかな？

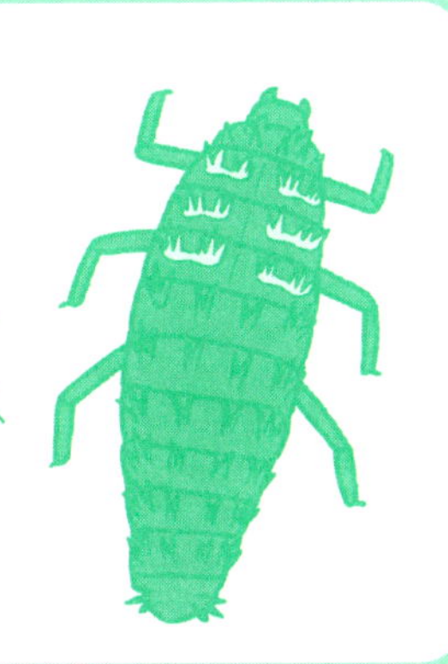

ア アリだと思うよ。

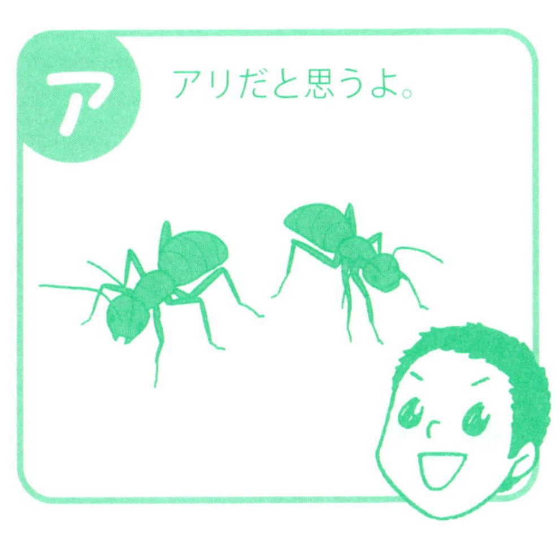

イ 成虫と同じ、アブラムシだよ。

ウ モンシロチョウだと思うな。

エ 植物の葉を食べるんだよ。

答え26　正解は㋑

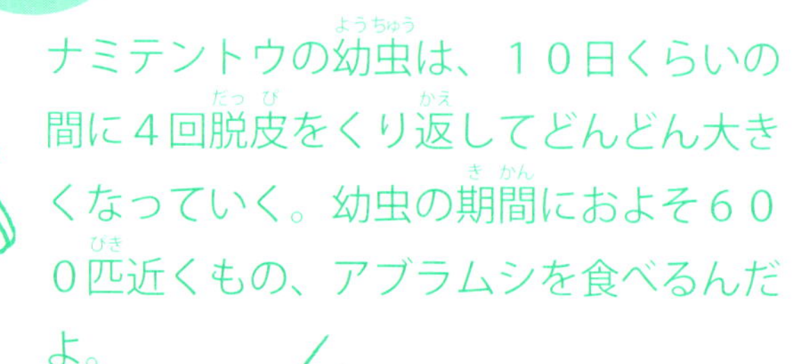

ナミテントウの幼虫は、１０日くらいの間に４回脱皮をくり返してどんどん大きくなっていく。幼虫の期間におよそ６００匹近くもの、アブラムシを食べるんだよ。

大きなあごでアブラムシにかみつき、体の汁を吸うぞ。

アブラムシ以外にも、同じナミテントウの卵も好物なんだ。見つけると共食いしてしまうよ。

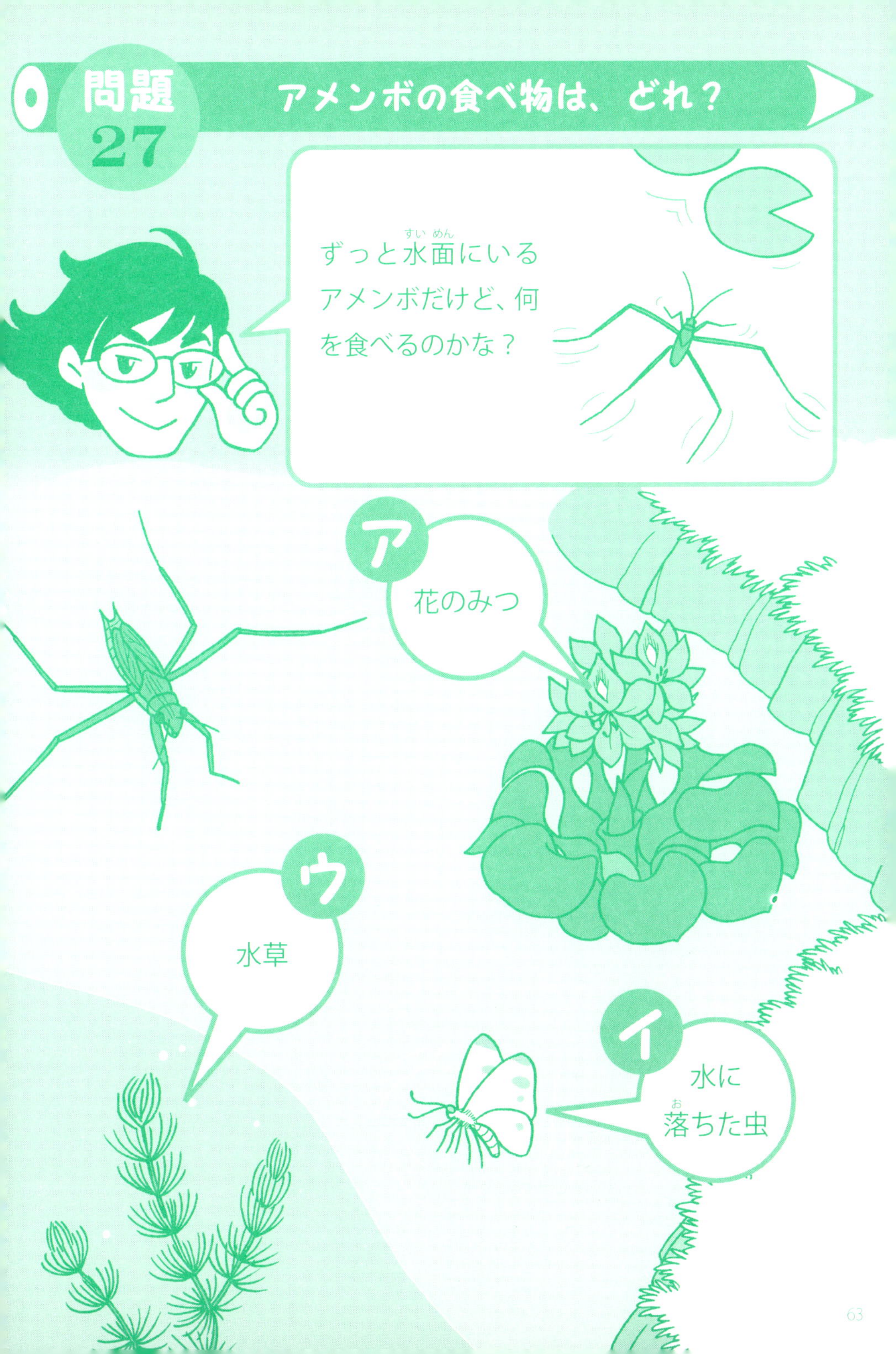
問題27
アメンボの食べ物は、どれ？
ずっと水面にいるアメンボだけど、何を食べるのかな？
ア
花のみつ
イ
水に落ちた虫
ウ
水草

答え27　正解は 

アメンボの口は針のような形をしているんだ。水に落ちておぼれた虫の体にその口をさしこみ、特しゅな液を入れて内臓をとかして吸うんだよ。水面に落ちて、もがく虫が作る波を前足で感じとり、近づいてつかまえるんだ。

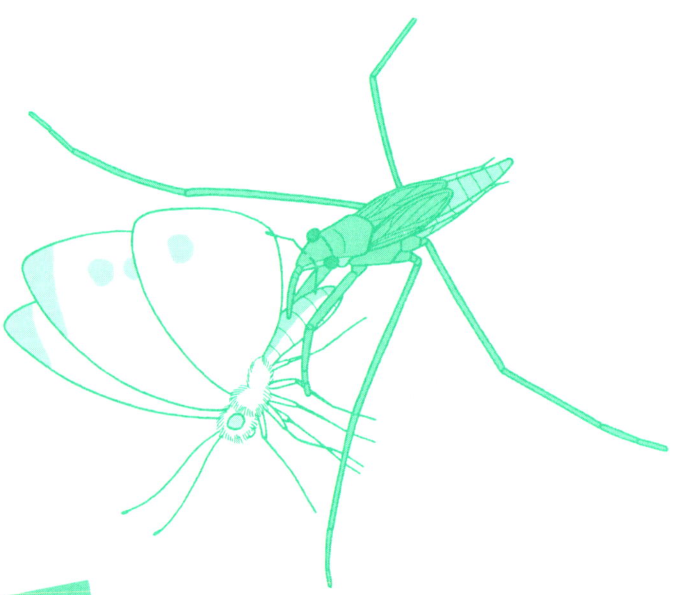

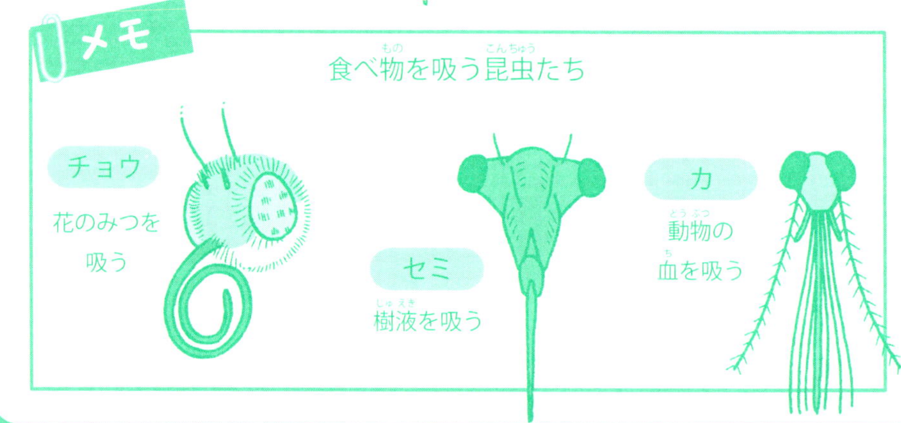

メモ
食べ物を吸う昆虫たち
チョウ
花のみつを吸う
セミ
樹液を吸う
カ
動物の血を吸う

問題28 さなぎにならない昆虫(こんちゅう)は、どれ？

多くの昆虫は卵(たまご)で生まれ、卵から幼虫(ようちゅう)がかえり、脱皮(だっぴ)をくり返(かえ)してやがて成虫(せいちゅう)になるよね。幼虫から成虫になるときに、さなぎになる虫、ならない虫があるよ。
次(つぎ)のうち、さなぎにならない虫はどれかな？

ア トノサマバッタ

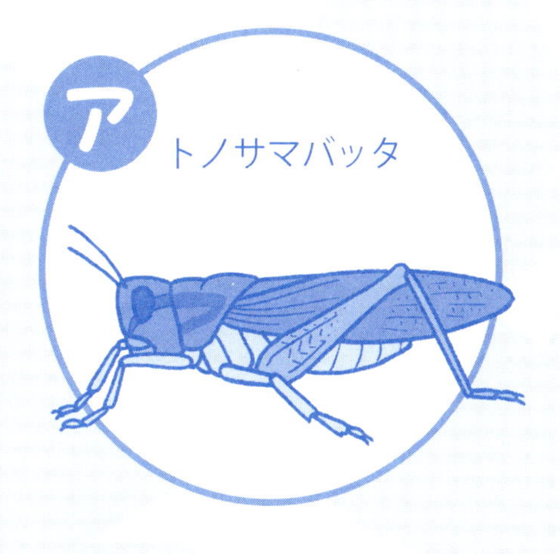

イ オオクワガタ

ウ オオムラサキ

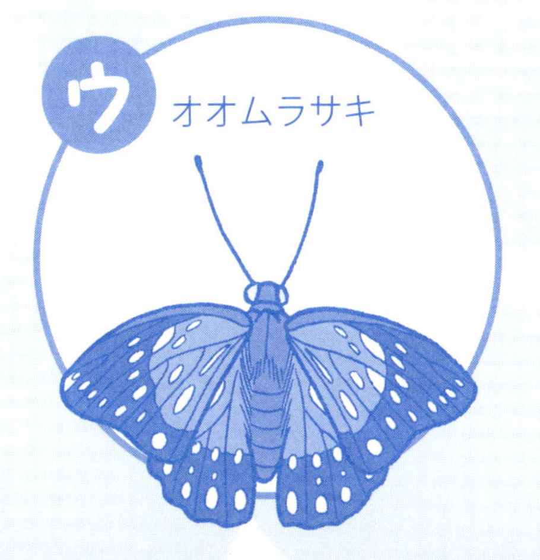

エ ナナホシテントウ

答え 28 正解は ア

バッタやスズムシの仲間は、幼虫のときから成虫とよく似た姿をしていて、さなぎにはならず、最後の脱皮で成虫になるんだ。

卵から幼虫がかえることを「ふ化」、幼虫が大きくなるために皮をぬぐことを「脱皮」、幼虫がさなぎになることを「よう化」、幼虫が成虫になるために脱皮することを「羽化」というよ。
カマキリや、セミの仲間もさなぎにならないんだ。

ア トノサマバッタ

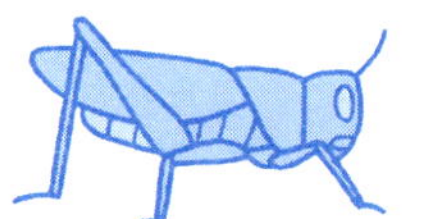

イ オオクワガタ

ウ オオムラサキ

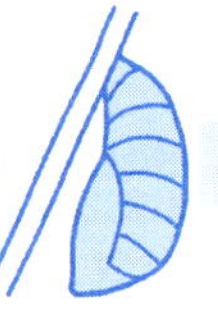

エ ナナホシテントウ

問題29 モンシロチョウ、このポーズは何？

キャベツ畑で、おしりを上げたポーズをしているモンシロチョウを見つけたよ。このポーズ、どういう意味があるのかな？

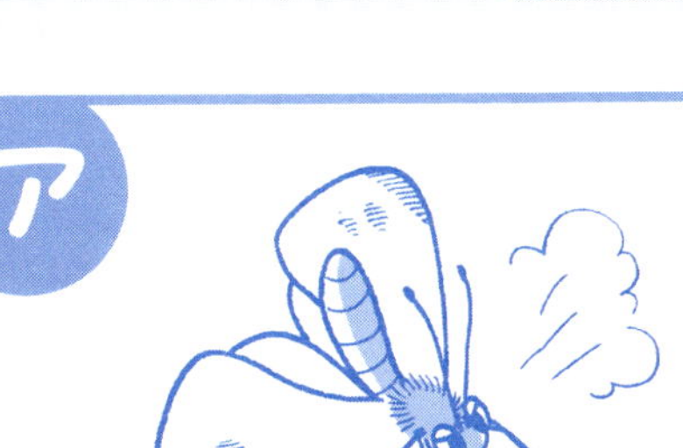

ア

敵をいかくするポーズなんだよ。

イ

メスがオスを追いはらうポーズだと思う。

ウ

卵を産もうとするポーズだよ。

答え 29　正解は イ

モンシロチョウのオスは、卵を作るための交尾をする相手を探して飛びまわり、メスを見つけると近づくよ。けれども、そのメスがすでにほかのオスと交尾をしたあとだと、メスはおしりを上げて交尾を拒否するポーズをとるんだ。メスが交尾拒否のポーズをしたら、オスは別のメスを探しに飛び去らなければいけない。

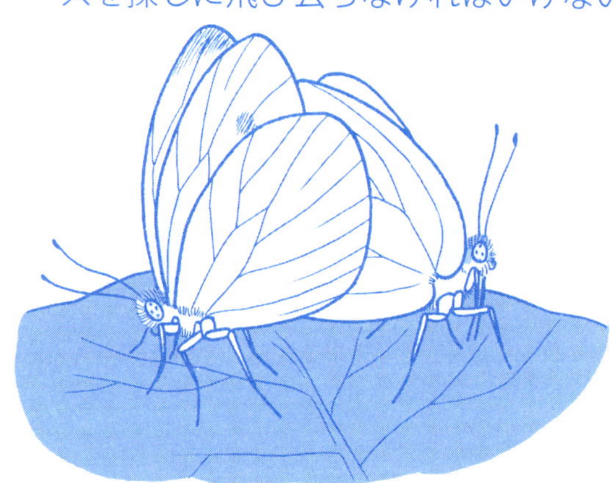

交尾をするオスとメス

モンシロチョウが成虫になって飛びまわれるのは、およそ2週間。オスはメスと交尾するために飛び続けるんだ。交尾が終わったあと、メスはおよそ600個の卵を産むよ。

メモ

モンシロチョウのオスとメス、わたしたちの目にはほとんど同じにみえるけれど、モンシロチョウの目から見ると、はっきりとした違いがある。メスの羽は、人間の目には見えない「紫外線」という光を反射するんだ。

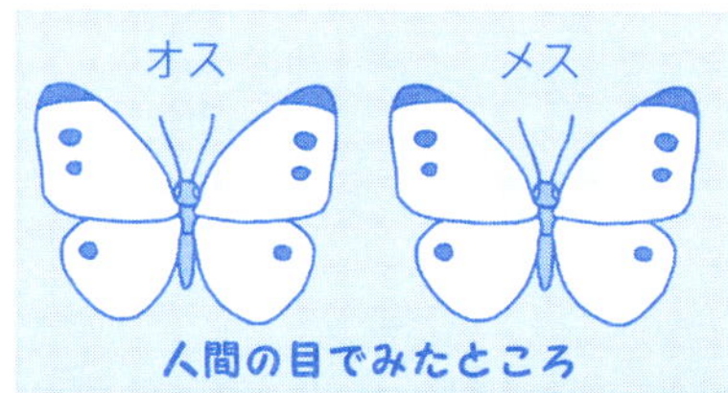

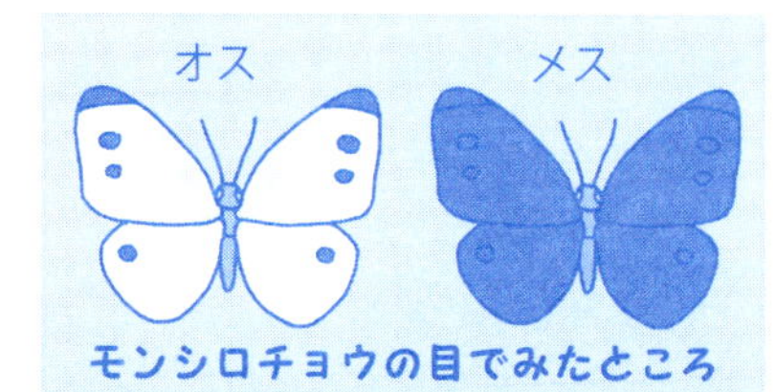

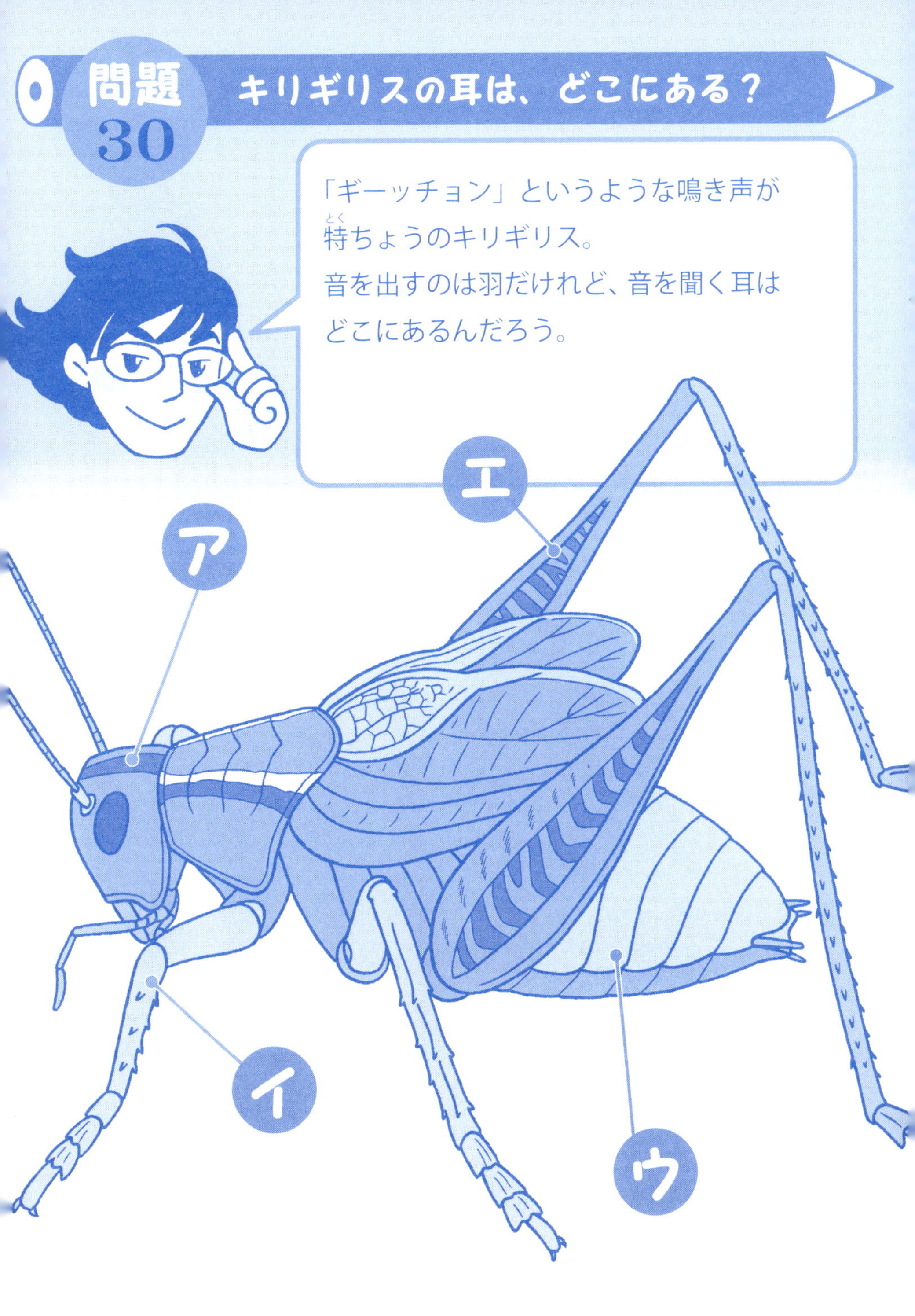
問題30
キリギリスの耳は、どこにある？
「ギーッチョン」というような鳴き声が特ちょうのキリギリス。
音を出すのは羽だけれど、音を聞く耳はどこにあるんだろう。
ア
イ
ウ
エ

答え30　正解は イ

キリギリスの耳は左右の前足の外側と内側にあるんだ。コオロギも同じ位置にあるよ。

トノサマバッタなどのバッタの仲間や、アブラゼミなどのセミの仲間は、腹の部分に耳がある。昆虫は耳のほかに、触角でも音を感じとることができるよ。触角は音だけでなく、においや味、湿度、手ざわりなんかも感じとることができるんだ。便利だね。

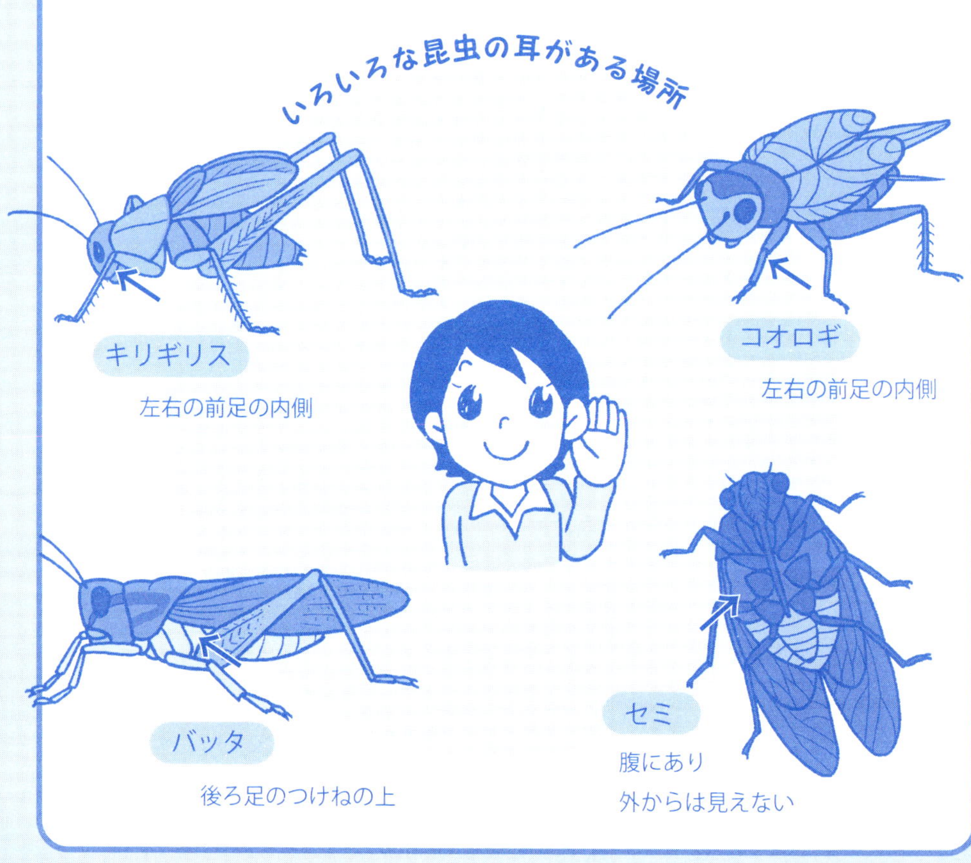

問題31 鳥がテントウムシを食べないのは、なぜ？

あ！鳥が
テントウムシを
食べようと
している！！

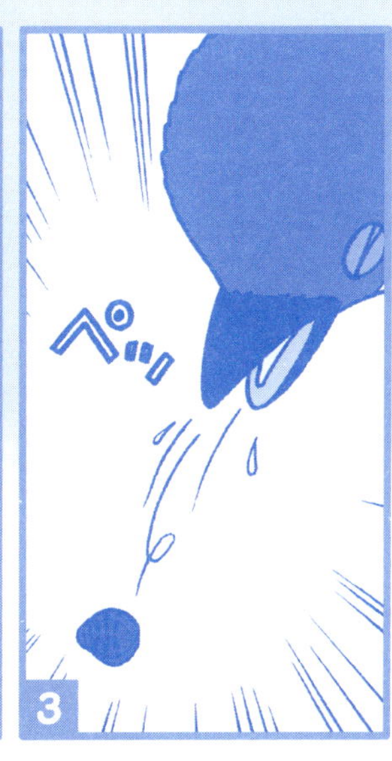

さて、どうして鳥は
テントウムシを食べなかった
のかな？その理由を
答えてみよう！

答え31 テントウムシが苦い汁を出すから

テントウムシをつかまえたときに、指に黄色い汁がついたことはないかい？ テントウムシは身に危険を感じると、足の関節から、強いにおいと苦みのある汁を出すんだ。テントウムシを食べようとして、この汁でひどい目にあった鳥は、二度とよりつかなくなるし、テントウムシのはでな模様を見ただけで、逃げ出すようになるよ。

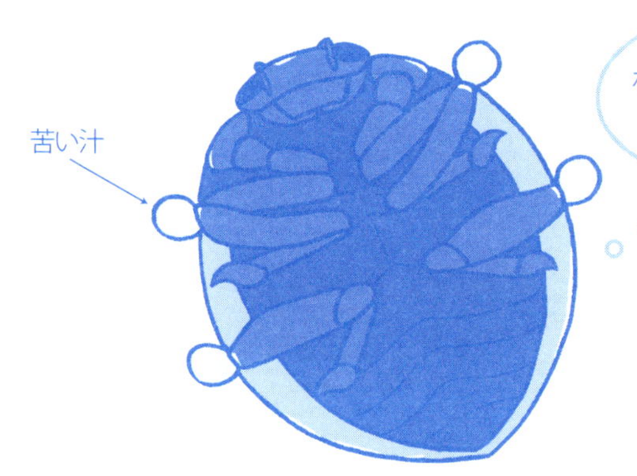

苦い汁
ボクは苦くてまずいですよ～
だから食べないで～

鳥がテントウムシを食べないのを利用して、テントウムシの仲間以外でも、テントウムシのふりをして身を守る昆虫がいるんだ。こんなふうに、形や模様のまねをすることを「ぎ態」というよ。

テントウムシにぎ態する虫たち

問題32 ゲンゴロウのおしりのあわは、何のため？

とても泳ぐのが得意なゲンゴロウ。最近は水田に使われる農薬などのために、すっかり数がへってしまった。
おや？ 水中のゲンゴロウのおしりにあわがついているぞ。このあわ、何のためについているんだろう。

しずまないための
うきぶくろだよ。

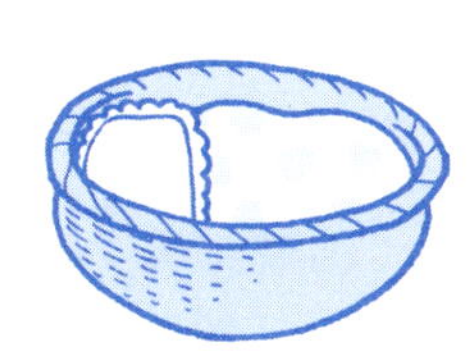

卵を中に産むための
ゆりかごじゃないかな。

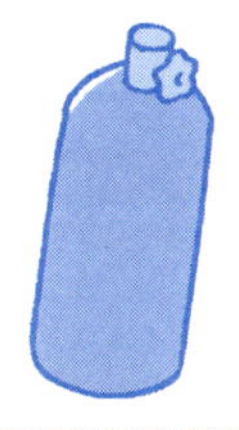

息をするための
空気タンクかも。

答え 32　正解は ウ

ゲンゴロウが水中で活動(かつどう)するときは、おしりにつけたあわの中の空気で呼吸(こきゅう)するんだ。このあわは、羽と背中(せなか)の間にたくわえられた空気がはみ出したものだよ。

ゲンゴロウは、呼吸するためのあなが背中についているんだ。

メモ

昆虫(こんちゅう)の呼吸するあなは「気門(きもん)」といい、多くの場合、胸(むね)や腹(はら)の部分(ぶぶん)にあるよ。

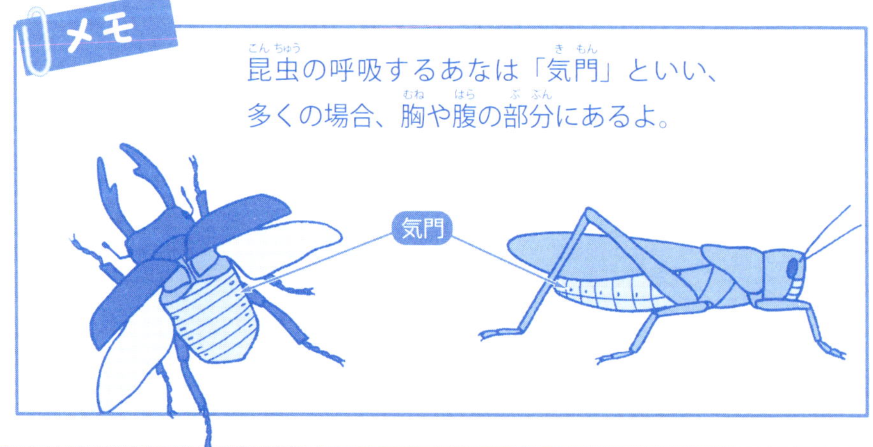

問題 33 ミツバチが後ろ足につけているものは、何？

菜の花畑でミツバチを見つけたぞ。
よく見ると、後ろ足に黄色いものがついているね。
これは何かな？

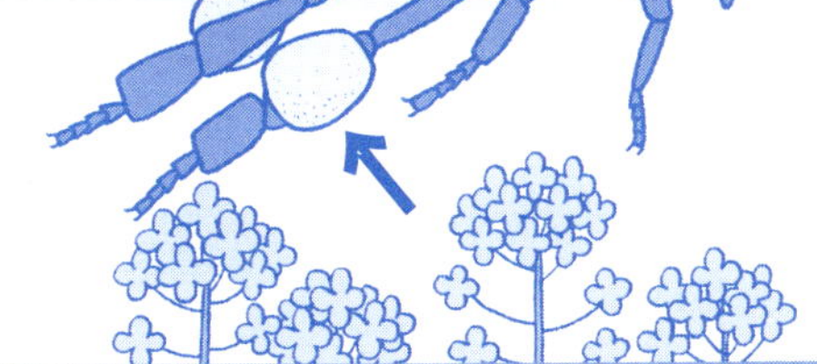

花粉だと思うよ。

植物の種じゃないかな。

花のみつを固めたものだよ。

答え 33　正解は ア

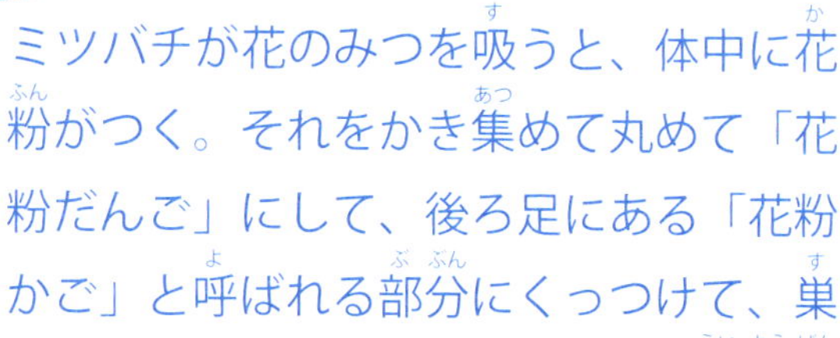

ミツバチが花のみつを吸うと、体中に花粉がつく。それをかき集めて丸めて「花粉だんご」にして、後ろ足にある「花粉かご」と呼ばれる部分にくっつけて、巣に持ち帰るよ。花のみつも花粉も、ミツバチの大切な栄養源なんだ。ミツバチの足には、「花粉ブラシ」という花粉を集めるための毛が生えているよ。

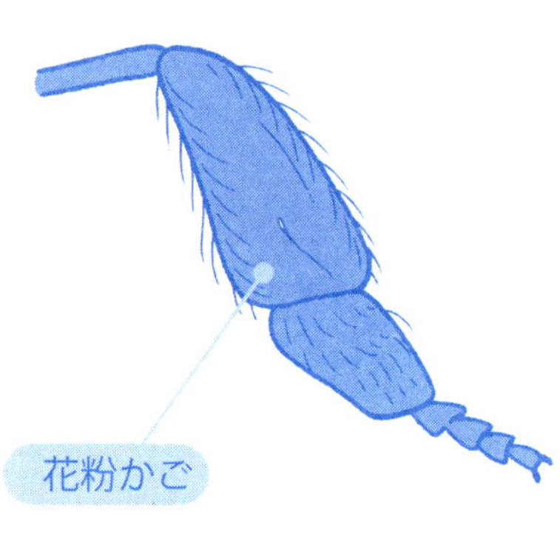

花粉かごといっても、本当にかごがあるわけではない。後ろ足の一部に、花粉をくっつけやすいように、少しくぼんで、長い毛で囲まれた部分があり、そこを花粉かごと呼んでいるんだ。花粉かごの真ん中には長い毛が１本生えていて、これがくしのように花粉だんごをささえるよ。

集められた花粉は、みつとまぜて巣の中にたくわえられ、成虫や幼虫のえさになるんだ。

問題34 サムライアリがさなぎを運ぶのは、なぜ？

サムライアリがさなぎをくわえて行列を作っているのを見つけたよ。サムライアリは何のために、さなぎを運んでいるのかな？

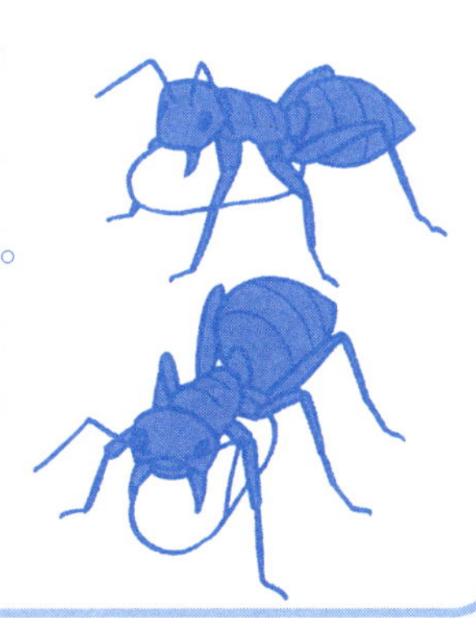

ア 巣のひっこしをしているんだと思うな。

イ 食料にするために、ほかのアリのさなぎをおそったんだよ。

ウ 巣を大掃除するために、さなぎを出しておくんだ、きっと。

エ 自分の巣で働かせるために、さなぎをさらってきたんだよ。

答え34 正解は㋓

サムライアリは、きばのように長い大あごを持ったアリだよ。このサムライアリ、大あごが大きすぎて、自分たちでは幼虫の世話や、えさ集めができないんだ。そのため、クロヤマアリのさなぎをぬすみ、生まれたクロヤマアリに働いてもらうんだね。サムライアリの巣で生まれたクロヤマアリは、ここが自分たちの巣だと思って、せっせと働くよ。

暑い夏の午後、さなぎのいるクロヤマアリの巣を見つけたサムライアリは、その巣までの道のりに「フェロモン」と呼ばれるにおいをつけて仲間を呼びにもどる。さなぎの情報を得たサムライアリたちは、そのにおいをたどって、さなぎをさらいにやって来るんだ。

メモ

アリは、自分の巣や、食料がある場所の位置を正確におぼえるのに、仲間のにおいや、空からの光、また、まわりの景色などをたよりにしていると考えられているよ。

問題35 トノサマバッタが食べるのは、どれ？

草むらで見かけるバッタの中で、大きいバッタといえば、トノサマバッタだね。
さて、このトノサマバッタが好(この)んで食べるのは、次(つぎ)のうちどれかな？

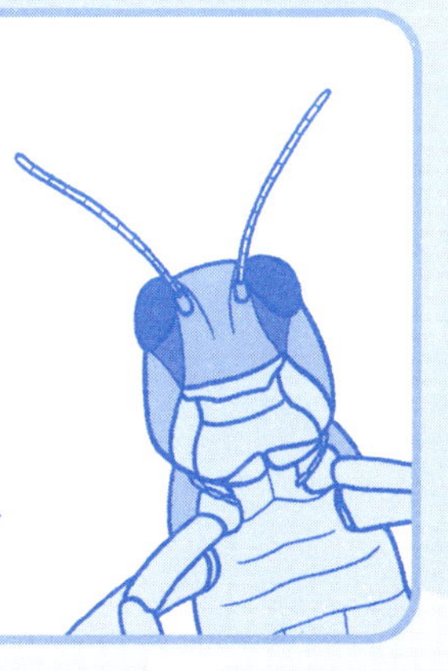

ア

イ

ウ

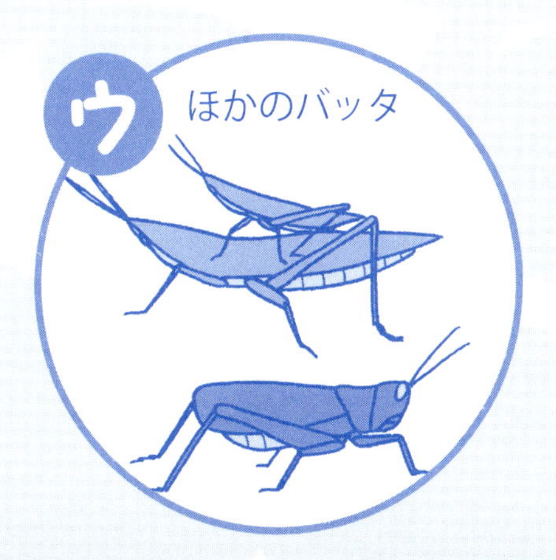

エ

答え35 正解は ア

トノサマバッタはススキのほか、エノコログサやヒメシバなどのイネ科の植物が大好物で、葉をモリモリ食べるよ。

イネ科の植物たち

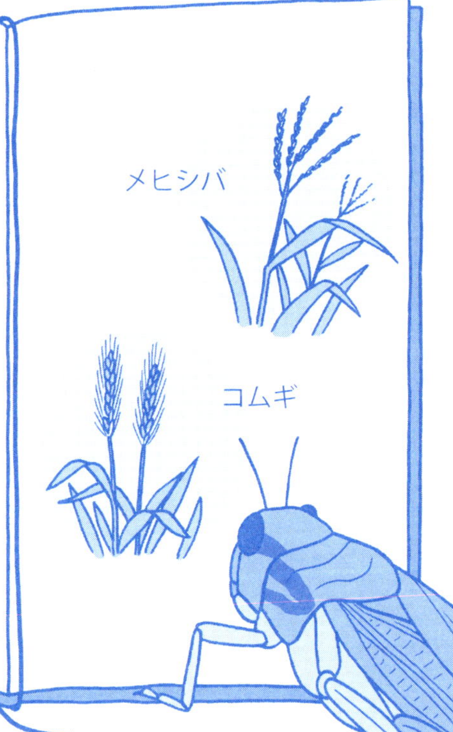

このほかに、ホソムギ、チガヤ、イネ、イヌビエ、スズメノヒエなど…

メモ

トノサマバッタは緑色のほか、茶色、その中間のものなどがいるよ。これは幼虫のときに、住んでいた場所によるといわれているんだ。

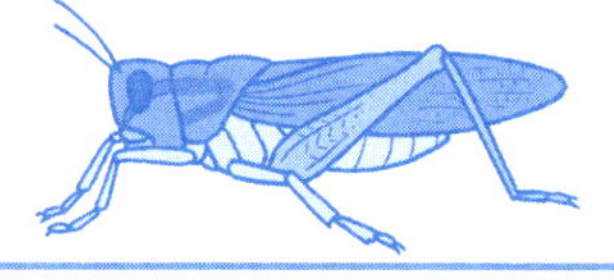

問題36 ギンヤンマが飛ぶときの足は、どれ？

とても飛ぶのが得意なギンヤンマ。枝にとまって休息する以外は、ほとんどの生活を飛びながら空中で行うよ。

飛んでいるときの足はどうなっているのだろう。

ア

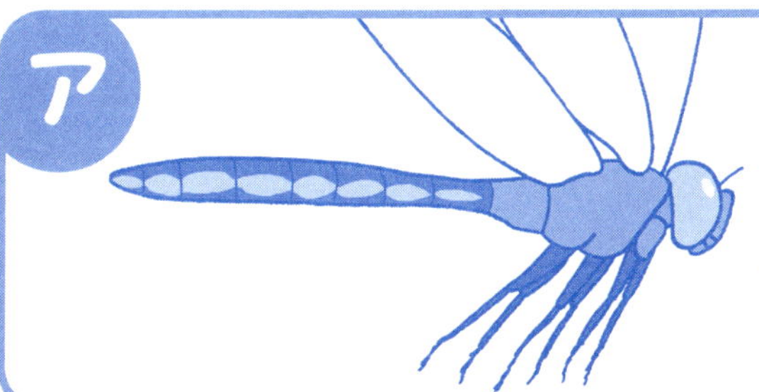

下にだらりとのばすんだと思う。

イ

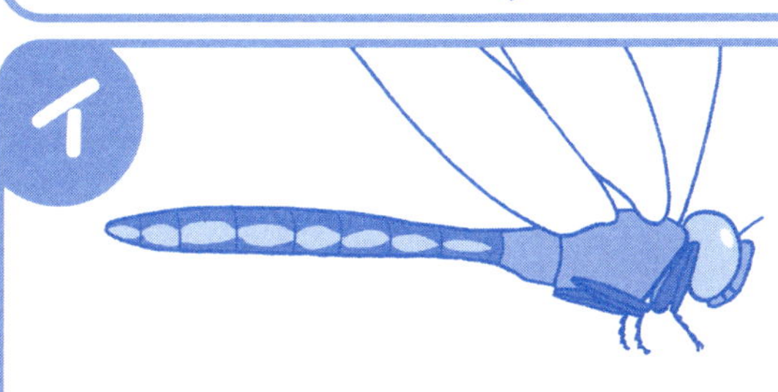

折りたたんで体につけるんだよ。

ウ

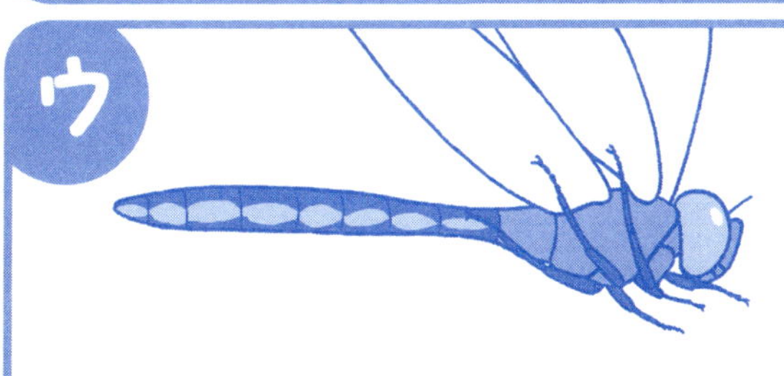

横に大きく広げるんじゃないかな。

答え36 正解は イ

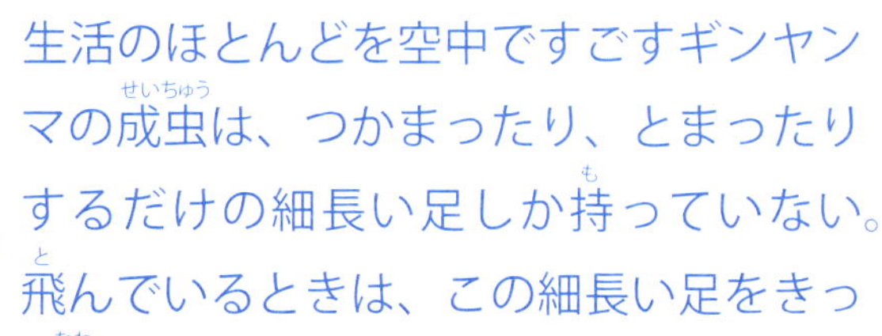

生活のほとんどを空中ですごすギンヤンマの成虫は、つかまったり、とまったりするだけの細長い足しか持っていない。飛んでいるときは、この細長い足をきっちりと折りたたんで、胸にぴったりとくっつけ、じゃまにならないようにしているよ。

正面から飛び方を見たところ

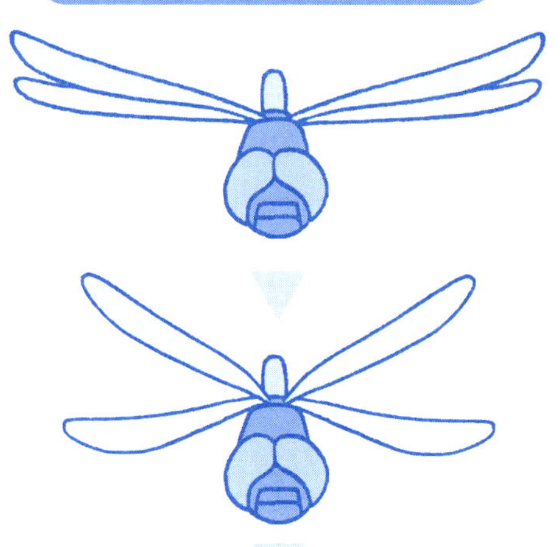

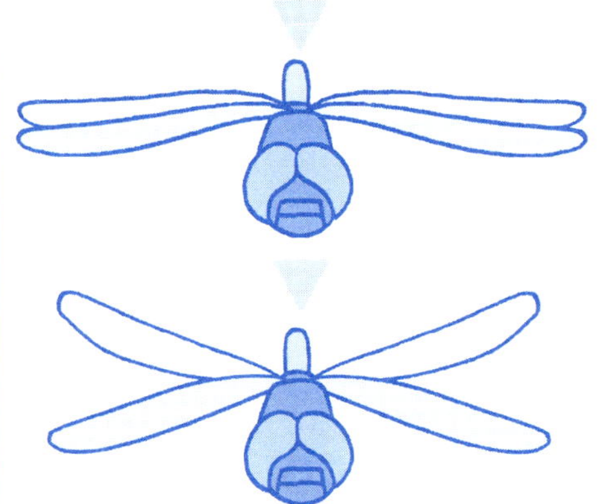

トンボの羽は、前羽と後羽が２羽ずつの合計４枚。この４枚の羽は、４枚とも別々に動かすことが可能だ。１秒間に２０～３０回羽ばたき、１秒間に５～１０m進むことができるよ。

体の重さに比べて、羽の大きなチョウは、羽ばたく回数が少なくても飛べるよ。

問題37 アブラゼミが成虫（せいちゅう）になるまでにかかる時間は？

「ジリジリ」と油（あぶら）でいためるような鳴き声のアブラゼミ。卵から成虫になるまで、どのくらいの時間がかかるのだろう？

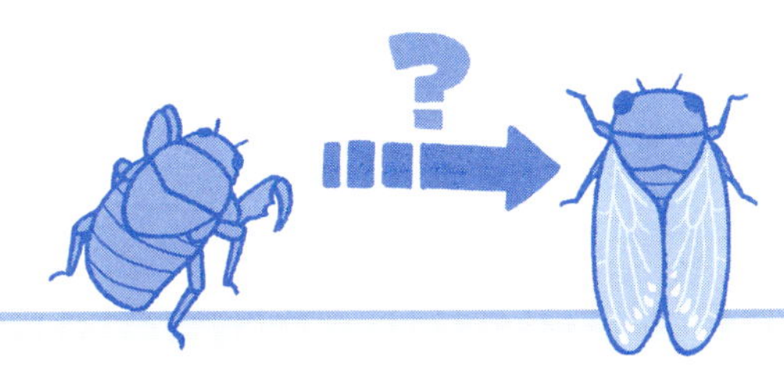

3か月

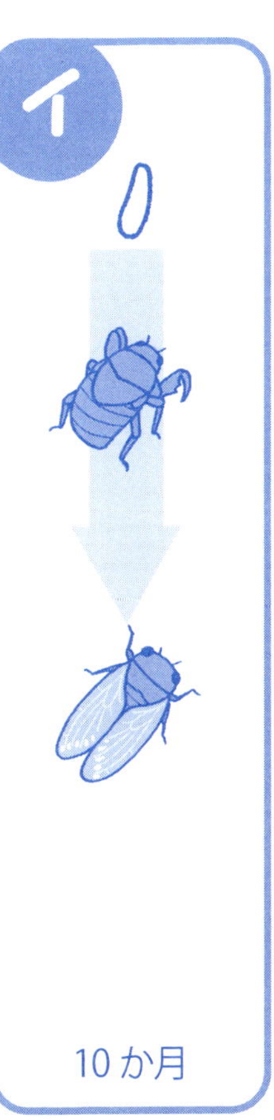

10か月

3年

7年

答え37　正解は㊡

アブラゼミのメスは、夏の終わりごろ木にあなをあけて、中に卵を産むよ。卵はそのまま1年すごし、よく年の夏に幼虫がかえる。それから約6年もの間、幼虫は土の中ですごすんだ。6年目の夏の夜、長い地中での生活を終え、幼虫は地上に出て来る。地上の草や木にのぼって最後の脱皮をし、やっと成虫になるんだ。

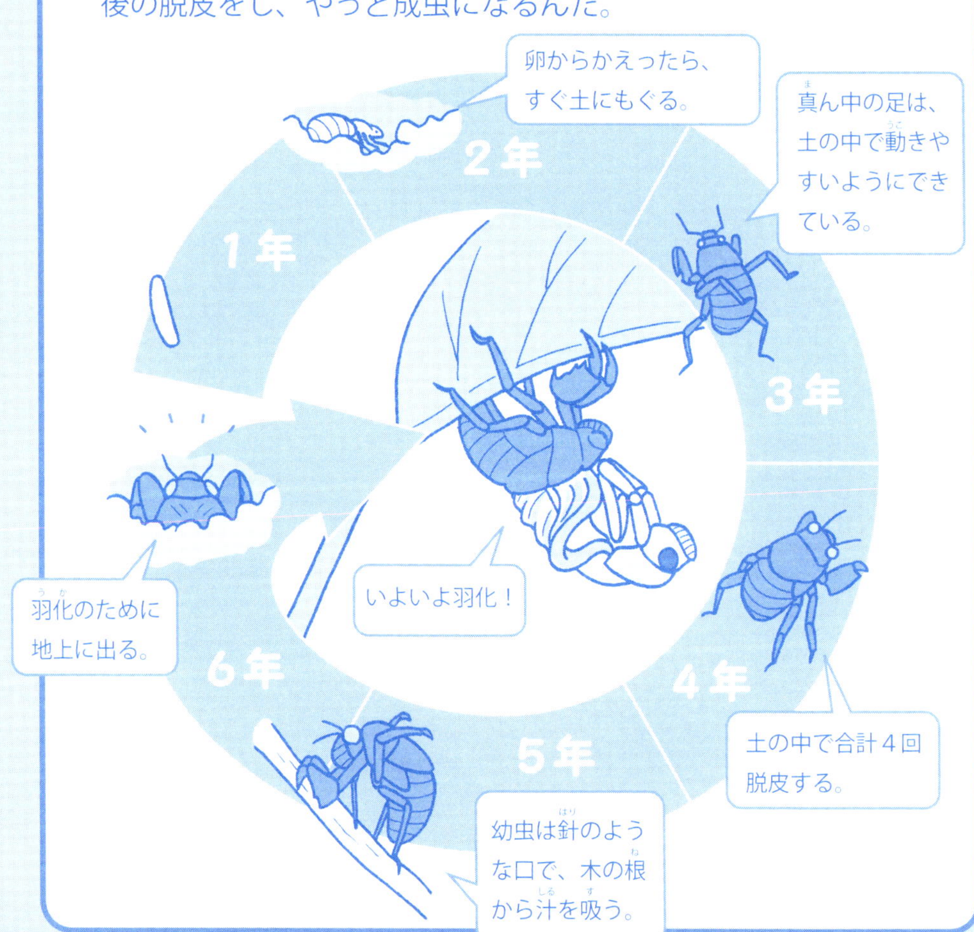

問題38 アゲハの幼虫は、何を食べる？

アゲハの幼虫は植物の葉を食べて大きくなるね。さて、次のうち、アゲハの幼虫が食べるのは、どの植物の葉かな？

ア ミカンの葉

イ パセリの葉

ウ シロツメクサの葉

答え 38　正解は ア

アゲハの幼虫はミカンのほかにも、カラタチやサンショウなどのミカン科の植物の葉を食べるんだ。それ以外の葉は食べない。チョウの幼虫には、アゲハと同じように、決まった植物の葉しか食べない幼虫が多くいるよ。

パセリ

パセリのほか
セリやニンジンなど、
セリ科の植物の葉を
食べる。

シロツメクサ

モンキチョウ

シロツメクサのほか
ミヤコグサやクサフジ
などの、マメ科の植物の
葉を食べる。

アゲハの成虫

問題39 毒針を持っているのはミツバチのオス？メス？

ミツバチをおどろかせたり、攻げきしたりすると、おしりの先にある毒針で、さされることがあるから注意しなければいけない。さてこの毒針を持っているのは、ミツバチのオスかな？メスかな？それとも両方？

答え 39　正解は イ

ミツバチには、女王バチ、働きバチ、オスバチがいるんだ。女王バチはメスで、卵を産むのが主な役割。働きバチもメスで、巣を作ったり幼虫の世話をしたり食料を集めたりする。オスバチは女王に卵を産ませる役割をするよ。毒針は、卵を産むための産卵管という部分が変化したものなんだ。だからオスは毒針を持っていないんだね。

働きバチ　オスバチ

ミツバチの毒針には「かえし」がついていて、ささると抜けにくいしくみになっているよ。そのため、一度さすと針は毒の入った内臓ごとミツバチの体からちぎれ、さしたミツバチは死んでしまうんだ。

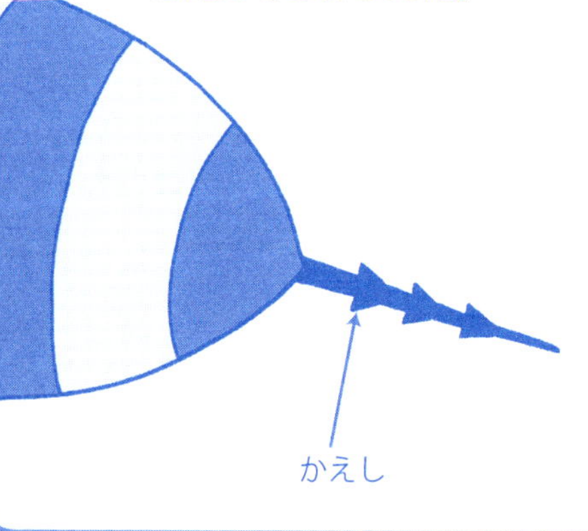

動物の体などにささった針は内臓がついたままになる。その内臓から毒が送られ続けるんだ。また、仲間のミツバチを呼びよせるにおいも出すので、ミツバチにさされたら、一刻も早く針を抜いてしまう必要があるんだ。

昆虫の身の守り方いろいろ

生き物全体で見ると、昆虫は小さくて弱い存在だ。自分たちを食べようとする天敵から身を守るため、苦い汁を出したり、いやなにおいを出したり、毒ガスで攻げきする虫や、枝や葉にそっくりな姿でかくれる虫もいるよ。

くさくて苦い汁を出す

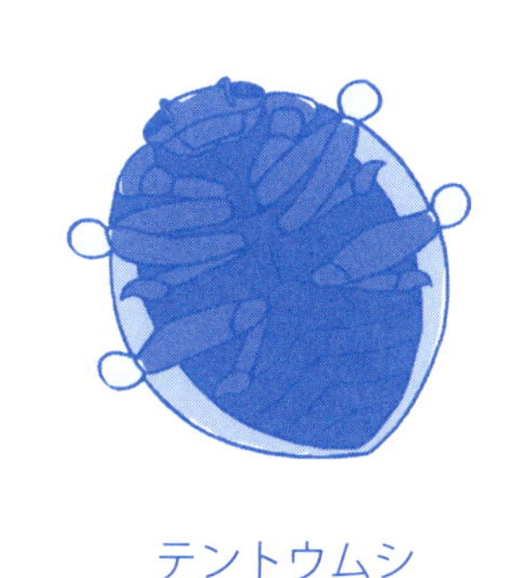

テントウムシ

いやなにおいを出す

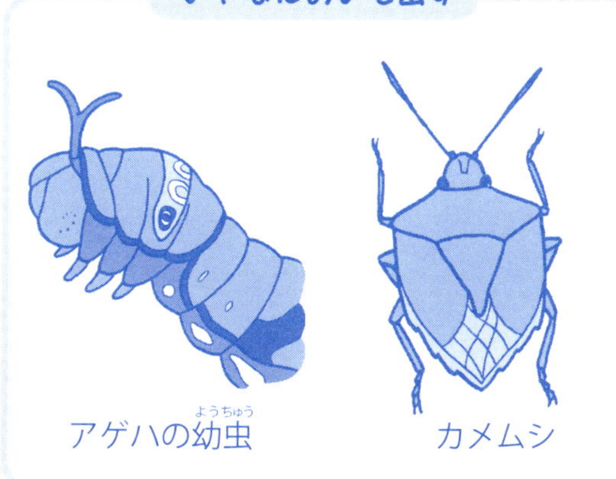

アゲハの幼虫　カメムシ

毒ガスを出す

ゴミムシ

枝や葉のまねをする

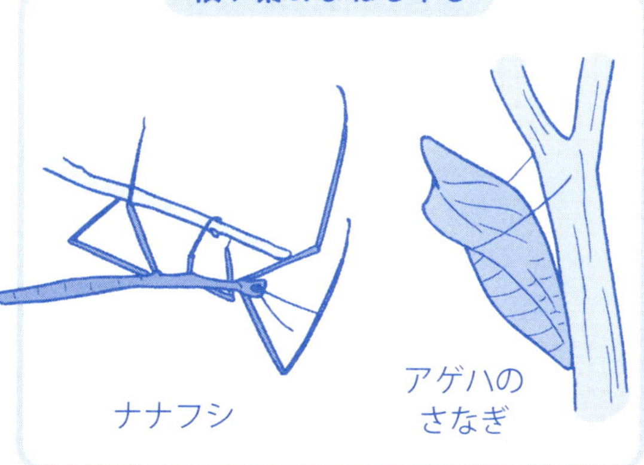

ナナフシ　アゲハのさなぎ

問題 40 カブトムシの正しい成長順は？

昆虫が、卵から幼虫、そして成虫になるまでを表したのが下の図だよ。
さてこの中で、カブトムシの成長を表したのは、どのコースかな？

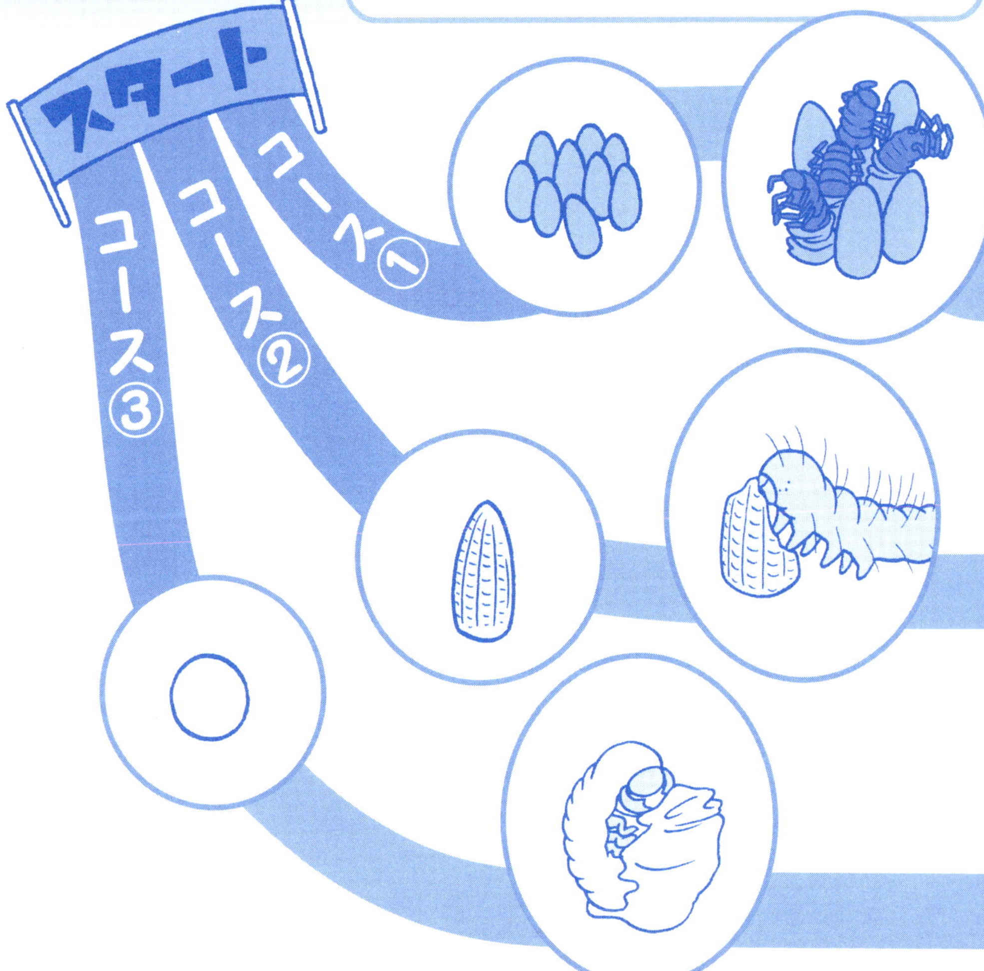

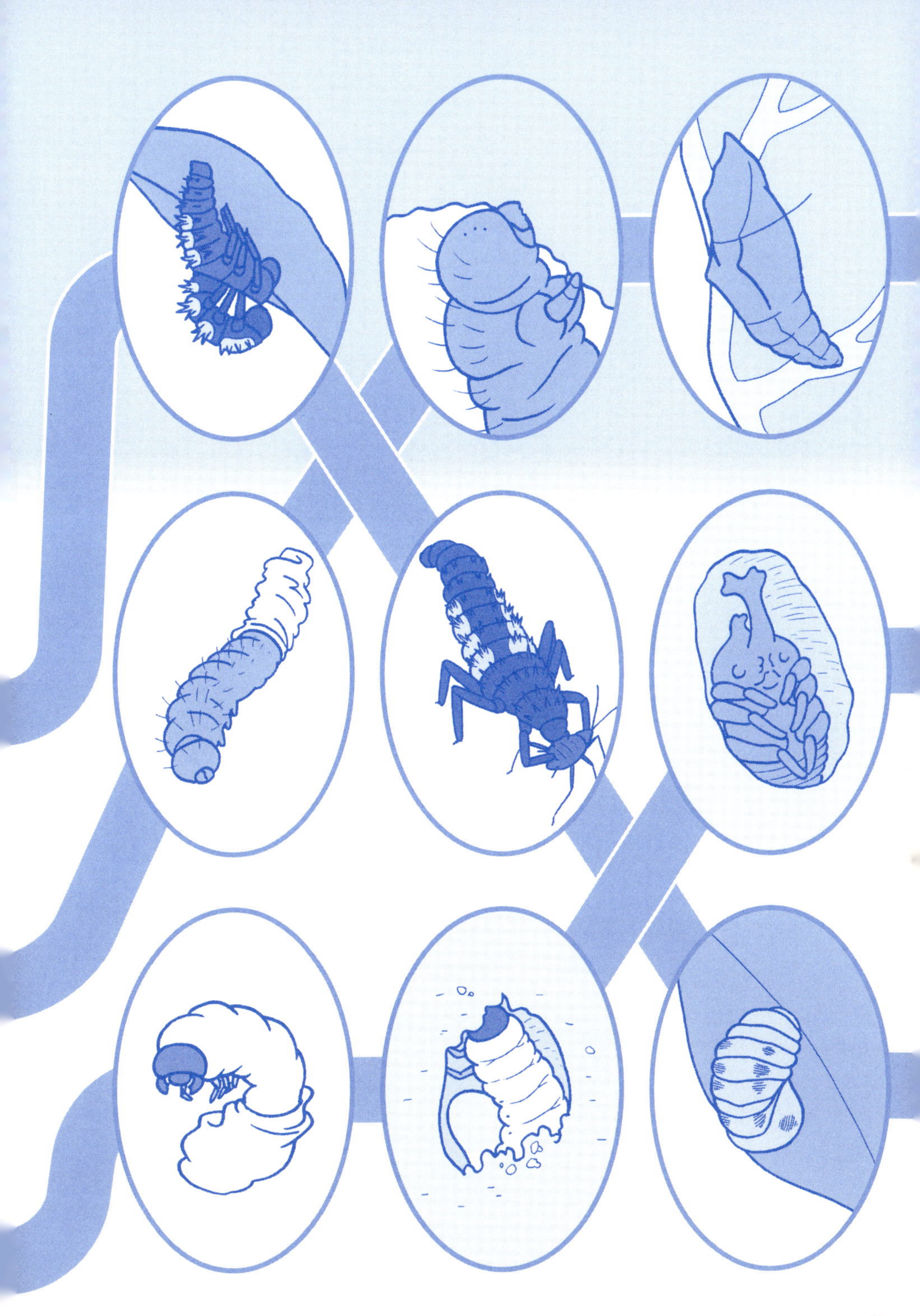

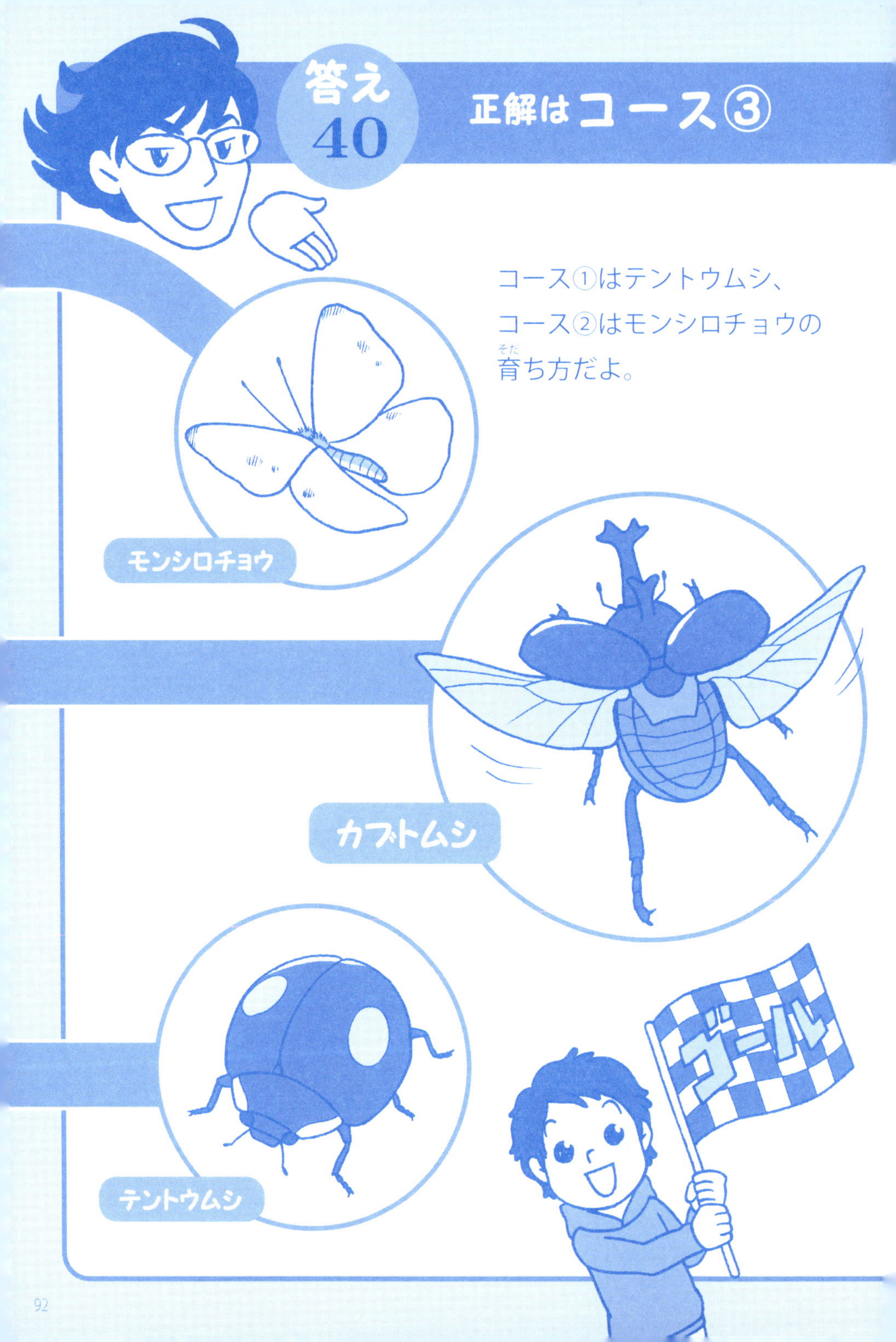

答え 40 正解はコース③

コース①はテントウムシ、
コース②はモンシロチョウの
育ち方だよ。

カブトムシの卵が産み落とされ、幼虫になり、3回の脱皮をしてさなぎとなり、成虫に羽化するまでの期間はおよそ11か月。長い月日を腐った木の中や土の中ですごしたあとに、カブトムシが成虫として生きられるのは、1～2か月ほどなんだよ。その1～2か月の間に、樹液の染み出る木のみきで出会ったオスとメスは交尾をし、卵を産み、次の世代に命をたくして9月には死んでしまうんだ。

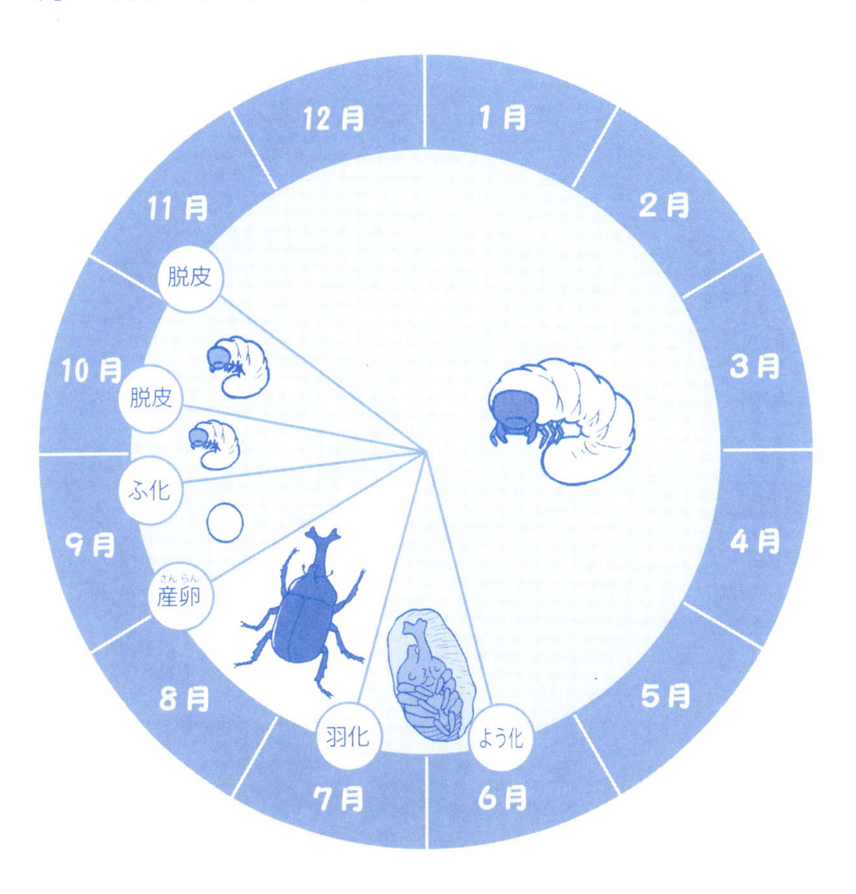

さくいん

あ

アカホシテントウ 8
アゲハ 15,16,54,85,86,89
あご 30,57,58,60,62,78
足 5,6,19,24,47,70,72,75,76,82,84
頭 6,24
アブラゼミ 18,54,70,83,84
アブラムシ 7,8,38,46,48,61,62
アメンボ 51,52,63,64
アリ 44,46,47,48,78
アリジゴク 45,46
あわ 12
いかく 35
羽化 60,66,84,93
ウマオイ 41,42
ウスバカゲロウ 46
益虫 8
えさ 22,38,47,76,78
エビ 24
エンマコオロギ 41,42
オオアメンボ 52
オオカマキリ 11,12,23,36,40
オオクワガタ 57,58,65,66
オオムラサキ 12,65,66
オカダンゴムシ 23,24
オス 10,21,22,42,56,68,87,88,93
おたまじゃくし 60
オトシブミ 12,22
落ち葉 29,30,37,38
オニヤンマ 13,14

か

カ 64
カイコ 8
害虫 8
カエル 45,46
カナブン 7,28,41
カニ 24
カネタタキ 43
カブトムシ 9,10,21,22,23,28,29,30,53,58,90,92,93
花粉かご 76
花粉だんご 76
花粉ブラシ 76
カマキリ 8,35,36,66
カメムシ 89
カンタン 43
甘ろ 48
キアゲハ 86
ぎ酸 47
ぎ態 72
気門 74
きゅうばん 26
共生 48
キリギリス 41,42,69,70
ギンヤンマ 28,55,56,59,60,81,82
クサキリ 43
腐った木 29,30,55,58,93
口 17,18,19,30,64,84
口ひげ 58
クツワムシ 43
クモ 24,45,46
クリシギゾウムシ 18,23
クロオオアリ 18
クロボシツツハムシ 72
クロヤマアリ 78
クワガタムシ 27,28,52,58
ゲンゴロウ 73,74
こう虫 10
交尾 46,68,93
コオロギ 42,70
コカマキリ 12
コクワガタ 22
ゴミムシ 89
昆虫 6,10,14,23,24,38,48,65,70,74,89,90

さ

さなぎ 16,30,34,53,54,65,66,77,78,89,93
サムライアリ 77,78
産卵 93
産卵管 56,88
舌 58
臭角 16
樹液 58
女王バチ 88
ショウリョウバッタ 7,22
触角 47,58,70
しり 25,26,47,48,56,67,73,74

シロジュウシホシテントウ 39
シロホシテントウ 39
スズムシ 19,20,40,42,66
成虫 25,30,50,54,58,60,65,66,76,82,83,84,86,90,93
セミ 20,36,42,64,66,70

た

脱皮 26,34,53,54,60,62,65,66,84,93
卵 11,12,30,33,34,49,50,53,54,55,56,58,59,62,65,66,68,83,84,90,93
ダンゴムシ 24
ダンダラテントウ 8
チョウ 24,28,36,64,82,86
チョウセンカマキリ 12
角 9,10,15,16,21,22,54
テントウノミハムシ 72
テントウムシ 6,8,12,25,26,28,31,37,38,44,46,48,71,72,89,92
冬眠 37,38,60
毒 47,89
毒針 87
トノサマバッタ 49,50,65,66,70,79,80
トホシテントウ 39
共食い 62
トンボ 6,13,14,28,36,56,60,82

な

鳴く虫 40,42,43
ナナホシテントウ 7,8,23,38,39,65,66
ナミテントウ 8,31,32,38,39,61,62
なわばり 46
におい 15,16,47,70,72,78,88,89
ニジュウヤホシテントウ 39
二紋型 32
ねん液 26

は

背単眼 14
ハエ 36
働きバチ 88
ハチ 36
バッタ 6,36,50,65,70,79
羽 14,19,20,27,28,32,35,42,55,69,74,82
腹 6,19,20,24,50,70,74
ハラビロカマキリ 12
はん紋型 32
ヒメギス 43
フェロモン 78
ふ化 12,30,66
複眼 14
腹弁 20
紅型 32

ま

マツムシ 43
マルウンカ 72
ミツバチ 8,18,54,75,76,87,88
耳 69,70
胸 6,24,74,82
目 13,14
メス 10,21,22,30,42,49,50,52,56,58,68,84,87,93
メダカ 60
模様 16,32,39,72
モンキチョウ 86
モンシロチョウ 5,6,17,18,23,28,33,34,67,68,92

や

やご 56,60
幼虫 12,15,16,22,25,26,29,30,34,46,50,53,54,56,58,59,60,61,62,65,66,76,78,84,85,86,90,93
四紋型 32
よう化 66,93
よう室 54

ら

卵のう 12

多田歩実

イラストレーター。本書では文章・デザインも担当。
主な仕事に『ビジュアルガイド明治・大正・昭和のくらし③』(汐文社)
『シゲマツ先生の学問のすすめ』(岩崎書店)、『日本地図めいろランキング』(ほるぷ出版)
『占い大研究』(PHP研究所)、『にほんのあそびの教科書』(土屋書店)など。

参考文献一覧

『昆虫と遊ぶ図鑑』おくやまひさし・著(地球丸)
『カラーアルバム昆虫　テントウムシ』佐藤有恒・写真　松原巌樹・文(成美堂新光社)
『自然の観察事典3テントウムシ観察事典』小田英智・構成/文　久保秀一・写真(偕成社)
『自然の観察事典7ギンヤンマ観察事典』小田英智・構成/文　松山史郎・写真(偕成社)
『自然の観察事典15アリ観察事典』小田英智・構成/文　藤丸篤夫・写真(偕成社)
『自然の観察事典19モンシロチョウ』小田英智・構成/文　北添伸夫・写真(偕成社)
『生き物のなぜ?』井口泰泉・監修　ナムーラミチヨ・絵(偕成社)
『学研の写真図鑑　カブトムシ・クワガタムシ』黒沢良彦・監修　青木良・指導(学研)
『学研の図鑑　昆虫の図解』黒沢良彦・監修　青木良・指導(学研)
『大自然のふしぎ　昆虫の生態図鑑』青木重幸ほか・著(学研)
『プチサイエンス しぜんのえほん1 もんしろちょう』前田憲彦・監修　赤勘兵衛&K・絵　久地良・文(学研)
『プチサイエンス しぜんのえほん6 すずむし』三枝博幸・監修　松浦一郎・指導　青木修・絵(学研)
『教科書に出てくる生き物観察図鑑①昆虫―チョウ・カブトムシ・アリなど』岡島 秀治・監修(学研)
『わくわく理科3』大隈良典ほか・著　(啓林館)
『鳴く虫の世界』小 英智・文　佐藤有恒・写真(あかね書房)
『NHK 子ども科学電話相談スペシャル どうして?なるほど!生きもののなぞ99』
NHK ラジオセンター「子ども科学電話相談」制作班・編集(NHK 出版)
『NHK ふしぎがいっぱい3年生』監修・村山哲哉(NHK 出版)
『実験はかせの理科の目・科学の芽6　生き物のくらしと自然』大竹三郎・著(国土社)
『校外活動ハンドブック④ウォッチング　植物と昆虫』江橋慎四郎・監修　永吉宏英・著(国土社)
『校外学習に役立つ　みぢかな飼育と栽培②アリ』『校外学習に役立つ　みぢかな飼育と栽培⑦アゲハチョウ』
『校外学習に役立つ　みぢかな飼育と栽培⑩カブトムシ』『校外学習に役立つ　みぢかな飼育と栽培⑪クワガタムシ』
『校外学習に役立つ　みぢかな飼育と栽培⑭バッタ・キリギリス』『校外学習に役立つ　みぢかな飼育と栽培⑮テントウムシ』　七尾純・構成、文(国土社)

このほか、農林水産省ホームページなど多数 Web サイトを参考にさせていただきました。

なぜなにはかせの理科クイズ②
昆虫のふしぎ

2014年2月20日　初版第1刷発行
著者/多田歩実
発行/株式会社　国土社
〒161-8510 東京都新宿区上落合1-16-7
Tel 03-5348-3710(営業) Fax 03-5348-3765
http://www.kokudosha.co.jp
印刷/モリモト印刷
製本/難波製本
NDC486/95P/22cm
ISBN978-4-337-21702-7

NDC486　国土社
2014　95P　22×16 cm